Le blogue de Namasté

>Comme deux poissons dans l'eau

LES ÉDITIONS LA SEMAINE
2050, rue de Bleury, bureau 500
Montréal (Québec) H3A 2J5

Vice Président éditions secteur livres : Louis-Philippe Hébert
Directrice des éditions : Annie Tonneau
Directrice artistique : Lyne Préfontaine
Coordonnatrice aux éditions : Françoise Bouchard

Directeur des opérations : Réal Paiement
Superviseure de la production : Lisette Brodeur
Assistante-contremaître : Joanie Pellerin
Infographistes : Marylène Gingras, Marie-Josée Lessard
Scanneristes : Patrick Forgues et Éric Lépine

Conceptrice graphique et logo : Marianne Tremblay
Réviseure-correctrice : Rachel Fontaine
Photo de Maxime Roussy : Paul Cimon

L'Éditeur bénéficie du soutien de la Société de développement des entreprises
culturelles du Québec pour son programme d'édition.

REMERCIEMENTS
Gouvernement du Québec – Programme de crédit d'impôt pour l'édition
de livres – Gestion SODEC

Nous reconnaissons l'aide financière du gouvernement du Canada par
l'entremise du Programme d'aide au développement de l'industrie de l'édition
(PADIE) pour nos activités d'édition.

Dépôt légal : Deuxième trimestre 2010
Bibliothèque et Archives nationales du Québec
Bibliothèque et Archives Canada
ISBN : 978-2-923771-19-9

Maxime Roussy

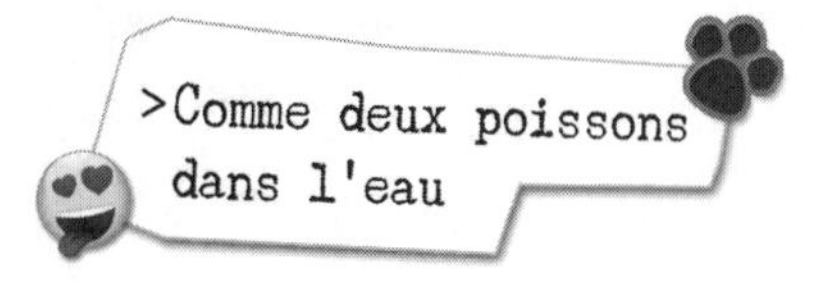

Je vis sur
une autre planète
Namx♡x

Publié le 23 novembre à 17 h 02 par Nam
Humeur : Anesthésiée

> Allô la Terre, vous me recevez?

Depuis hier soir, j'ai l'impression de ne pas être moi. J'ai l'impression d'être à l'extérieur de mon corps, d'être spectatrice de ma vie. Je me regarde agir.

J'ai eu un choc quand j'ai appris qui était mon fameux admirateur anonyme. Un choc si soudain qu'on aurait dit qu'il me faisait sortir de mon enveloppe corporelle. *Full* étrange.

À l'école, aujourd'hui, j'étais sur un nuage. Je n'entendais pas les profs. J'ai eu un test-éclair en maths et je ne me rappelle ni des questions ni des réponses que j'ai données. Mart m'a demandé ce qui se passait. J'ai répondu par un sourire niaiseux. Elle m'a dit que j'agissais comme si j'étais sur la drogue. La drogue de l'amour, oui ! 😋

J'étais amoureuse d'Antoine, ça, c'est sûr. J'ai souffert, ces derniers jours. Sauf que la révélation qu'un autre m'a faite a tout effacé d'un seul coup, comme un médicament magique.

Hier soir, par Messager, mon admirateur secret m'a envoyé la photo de quelqu'un que je connais très bien. Mais bon, faut toujours se méfier de ce qui circule sur le Net, ce n'est pas toujours vrai. Tout le monde peut se faire passer pour n'importe qui. Alors j'ai demandé à mon admirateur secret de m'appeler, pour en avoir le cœur net. Pas eu besoin de lui donner mon numéro de téléphone, il le connaissait. J'ai décroché et j'ai entendu sa voix. La voix de... Zac. 😲

Mon sang a figé dans mes veines. Zac ?!?! Je n'avais JAMAIS pensé à suspecter Zac. Et pourtant, quand j'y réfléchis, c'est logique.

Donc depuis hier soir, je sors avec Zac. Je suis sa blonde et il est mon *chum*. C'est vraiment *weird !*

Il m'a dit qu'il a réalisé à quel point il m'aime lorsqu'il a appris que j'avais un œil sur Antoine. Il a essayé de m'oublier en sortant avec Mart, mais bon, ça n'a pas marché (je ne lui ai quand même pas avoué que j'avais été jalouse, moi aussi — je me garde une petite gêne).

Mais il y a un bogue. Zac ne veut pas que Mart sache qu'on sort ensemble. Je pense que c'est une bonne idée parce que comme je la connais, elle va être vraiment *frue*. En tout cas, moi, je le serais, à sa place !

Fred veut utiliser l'ordi. Encore pour écrire à sa blonde, j'te gage ?

[1 commentaire]

* *

ON A LES PLUS BELLES BLONDES DU WEB !

Des vraies, des fausses, des petites, des grandes, des minces, des grosses et des golden retrievers !

www.touteslesblondes.com

* *

Publié le 23 novembre à 20 h 18 par Nam
Humeur : Amusée

> Est-il désespéré ?

Bon, je suis allée sur le site de blondes et je n'ai pas eu le temps de voir les golden retrievers parce que j'ai immédiatement fermé la fenêtre. Je m'attendais à voir des petits chiens, j'ai plutôt vu des trucs *full dégueu.* Je devrais écrire à l'administrateur du site pour lui demander de cesser de m'envoyer ses cochonneries de publicités.

Potin, potin... Mon frère est inscrit à un site de rencontres ! Il a oublié d'effacer l'historique du navigateur, j'ai donc été obligée (oui, oui !) d'aller y jeter un œil. Malheureusement, je n'ai pas pu voir ses conquêtes parce qu'il me manque le nom d'utilisateur et le mot de passe de son compte.

Je me demande pourquoi il va sur un site de rencontres. Il a 16 ans. Les sites de rencontres, c'est pour les vieux de 30 ans. Il y a des filles pas mal *cutes* à l'école, et lui aussi est assez beau. Je crois qu'il est gêné.

Ma tante Nancy, la sœur de ma mère, s'est inscrite sur un site de rencontres. Elle appelle ça un site de « rencontre du troisième type » parce que les gars y sont *full* bizarres. Une fois, elle est venue manger à la maison avec l'un d'eux. Il était gentil, sauf qu'il faisait une cure aux raisins aimantés pour purifier son corps. Pendant une semaine, il ne mangeait que des raisins qui avaient été exposés à un aimant pendant au moins vingt-quatre heures. Grand-Papi a dit que cette cure est la chose la plus débile qu'il a entendue depuis l'invention du support à bananes. Ma tante Nancy s'y est essayée aussi, elle a trouvé ça vraiment dur. En plus, elle a surpris son *chum* à manger du McCaca en cachette ! Tsé, après ça, on se demande pourquoi ce genre de gars-là n'a pas de relation stable !

Je vais continuer à faire mes recherches au sujet de mon frère. Je saurai bien avec qui il correspond.

Je n'ai pas de nouvelles de Zac. Il avait un cours de karaté ce soir. J'ai hâte qu'il m'appelle ! On s'est beaucoup vus aujourd'hui, mais parce qu'on doit faire semblant qu'on ne sort pas ensemble, on n'a pas pu en profiter. En fait, il m'a rapidement embrassée sur la bouche derrière une porte et il m'a dit qu'il m'aimait. Et pendant les cours, quand je le regardais, il me faisait des sourires et des clins d'œil.

Il est en ligne !

Salut Poupée,
on s'embrasse?
Namxox

Publié le 24 novembre à 17 h 58 par Nam
Humeur : Gênée

> Comment fait-on ?

Je voudrais tellement parler avec Mart de ce que je vis ! Me semble que ce serait plus facile pour tout le monde. Je vois des couples dans l'école qui se tiennent la main et je les envie.

J'en ai parlé avec Zac hier soir, on ne pourra pas cacher notre relation pendant le reste de notre vie. Surtout qu'on va se marier. Hi ! hi ! hi !

J'ai peur de la réaction de ma *best.* Elle prétend qu'elle n'aime plus Zac et répète qu'il est con. Mais ça fait rien. Elle va quand même penser que je suis avec l'ennemi. Tsé, je lui ai déjà dit que je n'avais jamais aimé Zac et là, tout d'un coup, il devient mon *chum ?*

L'amour que j'ai pour Zac n'est pas le même que celui que j'ai eu pour Antoine. C'est moins puissant, mais ça rend vraiment heureux, ça me rend légère comme une plume. Je pense qu'avec le temps, je vais l'aimer de plus en plus. Comment je vais faire ? Je l'aime déjà *full!* J'ai même écrit avec un feutre « Caz » sur mon étui à crayons dans un cœur. Comme ça, si Mart me demande ce que c'est, je pourrai dire que c'est, euh, un nouveau chanteur. Mettons.

Mais là, je me pose de sérieuses questions sur un sujet d'une importance capitale. Encore plus grave que le réchauffement climatique, le massacre des bébés phoques ou le mystère des cerceaux de mes soutiens-gorge qui restent tout le temps au fond de la laveuse. Le sujet de l'heure : comment embrasser ! Pas un baiser sur la bouche tout *cute,* non. Ça, c'est facile. Je parle du *french.* (Je viens d'aller voir s'il y avait un mot français pour *french* et c'est « baiser lingual ». *Full* laid !)

Ça va m'arriver bientôt, c'est inévitable. Je ne veux pas avoir l'impression d'exécuter un traitement de canal ! Je veux dire, qu'est-ce que je dois faire avec ma langue ? Une chorégraphie digne des Grands ballets canadiens ? Je dois la faire gigoter comme un poisson qui s'asphyxie ? La faire dessiner des lettres ? Genre je commence à A et je me dépêche pour voir jusqu'où je peux me rendre ? Je ferme les yeux ou je les garde ouverts ? Il n'y a pas grand-chose à voir…

J'ai déjà un peu d'expérience… Je me suis déjà exercée avec la tête que je m'amusais à peigner quand j'étais plus jeune ! Un jour, Mom est revenue de la coiffeuse avec cette tête grandeur réelle. Elle me l'a tendue en disant que je pourrais me pratiquer sur elle (à l'époque, je voulais devenir coiffeuse). L'affaire, c'est que la tête est réaliste. Et elle fait un peu peur parce que le visage est crispé, comme si elle venait d'assister à quelque chose de vraiment *biz*. Comme si elle venait de voir, mettons, un clown qui essaie d'introduire son nez rouge dans une de ses narines. Genre ils ont raté le moule et quand ils s'en sont rendu compte, ils avaient déjà produit mille têtes et il était trop tard.

Donc, un moment donné, fouille-moi pourquoi, j'ai fait comme si j'étais dans un film romantique et j'ai posé mes lèvres sur les siennes (en plastique rose). Elle m'a mordue ! Ha ! ha ! Je niaise. Mais bon, ça s'est bien passé, il n'y a pas eu d'accident, ce qui est un bon départ.

Je vais faire des recherches. Peut-être existe-t-il des techniques qui vont m'empêcher de transformer ce moment magique en Troisième Guerre mondiale ?

Je vais aller souper.

Publié le 24 novembre à 20 h 24 par Nam
Humeur : Impatiente

> Il sait comment on fait

Zac vient de m'inviter à une séance d'entraînement de hockey demain. C'est à l'aréna de la ville, pas très loin d'ici. Je vais devoir demander à Mom parce que ça commence à 19 h. Son père va venir me prendre ici et me raccompagner.

(...)

Mom accepte. Elle m'a demandé si c'était sérieux entre nous deux. J'ai roulé des yeux et j'ai dit que c'était juste « un ami ».

J'ai *tchatté* avec Zac et je lui ai demandé s'il avait déjà embrassé une fille. Il m'a répondu « ouais » et je n'ai pas pu m'empêcher de demander qui c'était. Il m'a dit : « ta *best* ». Ouch. Je n'ai pas posé plus de questions, mais je crois que ça ne fait pas trop longtemps. Je n'aurais pas dû lui demander.

La réaction de Mart quand elle va apprendre que je sors avec Zac m'inquiète un peu. C'est *weird,* non ? Une semaine à peine qu'ils ont cassé et je sors avec son ex. J'ai dit à Zac que les cachettes ne pourront pas durer longtemps. Il va falloir le dire. Je veux que les gens le sachent ! Je suis fière d'être la blonde de Zac, moi. Lui me dit d'être patiente. Je pense qu'il a raison. Rien ne presse.

(...)

Oh non ! Il vient de m'écrire. Il a dit à Martine qu'on sortait ensemble ! Et dire qu'il voulait que ça reste secret pendant un bout de temps, notre histoire... Je lui ai expliqué qu'il venait de commettre une erreur parce que Martine a une *full* grande bouche. Genre notre histoire va faire la page couverture des journaux dès demain matin. Il dit que j'exagère, mais je suis sûre qu'elle va le répéter à tout le monde. Zac lui a fait promettre de garder le secret, mais ça ne change rien.

(...)

Shiiiiiit! Elle vient de lui dire que j'étais amoureuse d'Antoine et que je lui ai même envoyé une lettre d'amour. Il me demande si c'est vrai. Je fais quoi ??!!

(...)

Bon, je lui ai avoué que c'était vrai. Si je commence à lui mentir, ça va mal se terminer. Il ne me pose pas d'autres questions, c'est bon signe. Cette Martine... Argh ! Elle n'a pas fini de m'en faire voir de toutes les couleurs.

D'ailleurs, on s'est parlé aujourd'hui pour l'histoire des Réglisses rouges qui l'ont pointée du doigt avec les masques tristes. Elle prétend qu'elle avait fait des *jokes.*

Selon elle, c'est le genre de taquineries que je ne devais pas prendre au sérieux, je dois arrêter « d'halluciner ». Elle s'est même excusée. J'ai accepté ses excuses, on s'est même serré la main. Mais dans le fond, je ne pense pas qu'elle dise la vérité. Elle agit comme si elle voulait me faire passer pour la fille qui capote pour rien.

(…)

Je viens de *tchatter* avec Martine. Je lui ai demandé de ne pas parler de ma relation avec Zac, je veux l'annoncer moi-même à ma *best.* Elle a dit : « OK ».

Mon frère ne lâche pas son site de rencontres. Mais là, je viens de vérifier l'historique et y'a quelque chose de bizarre. En tout cas, c'est sûrement une erreur.

Je vais aller finir mes devoirs.

Publié le 24 novembre à 16 h 58 par Nam
Humeur : Joyeuse

> Trop chou!

Zac m'a écrit un poème! Trop *cute*! Il me l'a donné après la période du dîner.

Chère Namasté,
Tu es comme le printemps
Quand le soleil montre son nez
Tu réchauffes mon cœur autant
Qu'un souffle d'été.

Ahhhh! C'est vraiment trop trognon. 

Je crois que ma *best* commence à se douter de ce qui se passe entre Zac et moi. Elle m'a posé quelques questions, genre s'il me demandait de sortir avec lui, est-ce que je dirais oui? J'ai répondu que je ne savais pas (MENTEUSE!). Faut dire que je lui parle de Zac assez souvent. Et elle doit voir les cœurs qui apparaissent dans mes yeux quand je mentionne son nom.

Bon, là, je dois aller faire mes devoirs parce que le père de Zac vient me chercher à 18 h 30.

Est-ce que
je vais devoir
le forcer?

Publié le 24 novembre à 21 h 03 par Nam
Humeur : Presque comblée

> Belle soirée, mais...

C'était *cool* comme soirée. Et le père de Zac est vraiment gentil. J'étais un peu mal à l'aise au début, mais il a vite rendu l'atmosphère agréable en fredonnant la chanson qu'il y avait à la radio. Tsé, il faussait tellement ! Zac lui a dit d'arrêter parce que ça le gênait, mais il a préféré continuer, prétendant que moi, j'aimais ça. Je n'avais pourtant rien dit !

À l'aréna, il m'a demandé si je voulais quelque chose, j'ai répondu rien. Il m'a quand même acheté une bouteille d'eau en ajoutant que les fontaines étaient « branchées sur les toilettes ». Ark ! Il est parti, disant qu'il reviendrait dans une heure.

Je suis allée m'asseoir avec les autres blondes des joueurs. En fait, c'est l'une d'elles qui m'a invitée à les rejoindre. Sont super fines. On a beaucoup ri.

Paraît que Zac est le meilleur joueur de l'équipe. Les filles m'ont demandé comment il se faisait qu'on sortait ensemble. Je leur ai raconté que je le connaissais depuis longtemps et que je l'avais toujours aimé (je sais, j'en ai un peu rajouté).

L'entraîneur a séparé l'équipe en deux et il y a eu une partie simulée. Zac a compté cinq buts ! Les cinq de son équipe. Après l'entraînement, je suis allée le retrouver. Il venait de prendre sa douche, il sentait *full* bon ! Je l'ai embrassé sur la bouche, il a eu l'air gêné.

On est restés genre quinze minutes seuls avant que son père arrive. Je mâchais trois gommes parce que je ne voulais pas avoir mauvaise haleine, au cas où... Mais il ne s'est rien passé. Il a parlé, parlé et parlé. Est-ce que j'avais quelque chose de coincé entre les dents ? Est-ce qu'une horde de feux sauvages sont subitement apparus sur mes lèvres ? Pourquoi il n'en a pas profité pour m'embrasser ? Peut-être veut-il que ça se fasse dans un endroit plus intime ? Un endroit où il n'y aura pas un concierge épeurant avec un mégot de cigarette éteint dans la bouche en train de nous épier ? En tout cas.

(...)

Je possède maintenant toutes les preuves nécessaires pour porter des accusations : Fred s'est effectivement inscrit à un site de rencontres. Mais c'est pour... des personnages de jeux vidéo ! Genre tu te crées un avatar et là, eh bien, tu t'en cherches un autre pour tomber amoureux. Je pense que Fred passe trop de temps en ligne et pas assez hors ligne. S'il se trouve une princesse de deux mètres avec des boules énormes et qui peut cracher du feu, je ne suis pas sûre que ça va faire des enfants forts. Mon frère est *biz*. (...)

J'aurai quel âge quand ma mère va arrêter de me dire à quelle heure je dois me coucher ?

Publié le 25 novembre à 17 h 42 par Nam
Humeur : Curieuse

> Je donne trop d'indices

Je ne sais pas trop ce qui se passe, mais ça fait deux répétitions d'impro où je suis ultra poche. Est-ce que c'est l'amour qui fait ça ? Je n'arrive pas à entrer dans mes personnages. Afro est venu me voir et il m'a demandé si ça allait bien dans ma vie, s'il y avait quelque chose qui clochait et qui me rendait malheureuse. Non ! Au contraire ! Il faut que je sorte de cette léthargie avant le prochain match.

Je n'ai pas pu m'empêcher de demander à Mart si elle avait déjà embrassé Zac. Elle m'a dit non. Ah, le coquin ! 😊 Je pense qu'il ne veut pas m'avouer qu'il ne l'a jamais fait parce qu'il est gêné. Évidemment, elle m'a posé d'autres questions sur ma relation avec Zac. Elle m'a fait remarquer que je l'ai vu souvent ces derniers jours. J'ai passé à un poil de tout lui dire. Mais je ne pense pas que ce soit le temps. En descendant du bus, elle a dit : « En tout cas, ce serait stupide que tu sortes avec lui. »

Moi : Pourquoi tu dis ça?

Mart : Parce qu'il vient tout juste de casser avec moi.

Je n'ai rien dit.

Mart : Et parce qu'il est con. Tu sortirais avec un gars même si tu sais qu'il est comme ça ?

Elle m'a dit qu'elle avait passé à autre chose, mais c'est clair qu'elle a encore la rupture coincée dans la gorge.

Moi : Je ne le trouve pas con, moi.

Mart : Pourquoi tu le défends ?

Moi : Je ne le défends pas, je dis juste qu'on n'est pas obligées, toi et moi, d'avoir la même opinion.

Je n'en ai pas rajouté parce que j'ai senti que ça pouvait mal tourner. Des fois, ma *best* est vraiment à pic. Elle vit des moments difficiles avec sa mère ces temps-ci, elles s'engueulent tout le temps. Elle voudrait aller vivre avec son père, mais sa mère ne veut pas. Et en plus, il y a de la grosse chicane entre les deux. Genre ils se parlent seulement quand leurs avocats sont là.

Sa mère est vraiment *frue* parce que le père de Mart l'a laissée pour une autre femme *full* jeune, genre elle a 25 ans et son père en a 50. Et depuis ce temps, c'est la guerre. Ils se disputent pour n'importe quoi. Ça affecte beaucoup Mart. Quand c'est arrivé, il y a deux ans, elle a passé deux semaines chez moi pour laisser la poussière retomber. Elle pleurait tous les soirs et elle a failli couler son année à cause de ça. En tout cas, moi, j'espère que ça ne va jamais m'arriver.

Ça sent bon dans la maison ! Je m'en vais souper.

Publié le 25 novembre à 20 h 26 par Nam
Humeur : Enchantée

> Je veux y aller !

Zac se prépare pour un gros tournoi de hockey qui va avoir lieu dans une semaine. Toutes les équipes du même calibre que la sienne vont se rencontrer. C'est à 500 kilomètres d'ici. Un tournoi de trois jours. Il m'a demandé si je voulais y aller ! Oui !!! Ses parents vont aussi y être. Son père va louer un camion et il va transporter tous les joueurs de l'équipe. Il reste une place libre et il me l'offre ! *Cool !* Il ne me reste qu'à demander à Mom et le tour sera joué.

(...)

Je viens de regarder le calendrier et j'ai un match d'impro ! *Shiiiiiit !* Je vais devoir parler à Afro et voir si je peux me faire remplacer. Mais par qui ?! Je pense que même si j'étais à l'article de la mort, il faudrait que j'y sois. Ça me fait suer ! On va voir. Je vais attendre de parler à Afro avant de capoter.

(...)

Weird ! Je viens de *tchatter* avec Antoine. Il a commencé par me demander comment j'allais. Dès le début de la conversation, je l'ai trouvé suspect. C'est toujours moi qui l'ai abordé, c'était la première fois qu'il parlait en premier. Et puis je l'avais bloqué, il a fallu qu'il se crée une nouvelle adresse pour me parler.

Il m'a dit qu'il s'ennuyait de nos parties d'échec et du temps où on regardait des mauvais films dans son sous-sol. Je lui ai dit : « T'as Martine, non ? » Il semblerait qu'elle déteste les échecs et qu'elle s'endort pendant les films. Et là, il a écrit une phrase qu'il a fallu que je relise genre dix fois pour être sûre de la comprendre : « J'aurais dû sortir avec toi. » Quoi ??!! Il me dit ça maintenant ? C'est quoi le rapport ? Il est comme trop tard. Je lui ai demandé pourquoi il continuait de sortir avec Martine et il m'a répondu « sais pas ». Fallait se brancher avant ! Et là, il m'a posé une question impossible : il voulait savoir si j'allais sortir avec lui s'il cassait avec Martine. Non ! Il est trop tard. Évidemment, Martine lui a dit que je sortais avec Zac. Incapable de la fermer, celle-là !

J'ai eu une super grosse peine d'amour. Même si j'ai aimé Antoine pour vrai, je sens que c'est fini. Et je ne me vois vraiment pas casser avec Zac pour sortir avec Antoine. Vraiment, je ne le suis pas, ce gars-là. Il s'est débranché sans même me saluer. Je pense qu'il est *fru.* C'est *full* compliqué cette histoire-là ! Je suis quoi, moi ? Une girouette ?

(...)

Bon, Mom n'est pas d'accord pour que j'aille au tournoi de hockey. Elle dit qu'on va en reparler. Elle m'a demandé où j'allais dormir. J'ai dit que je ne savais pas. Elle veut d'abord parler avec les parents de Zac. Ça m'énerve quand elle fait ça ! Je ne suis plus une petite fille !!!

Je vais aller lire dans mon lit.

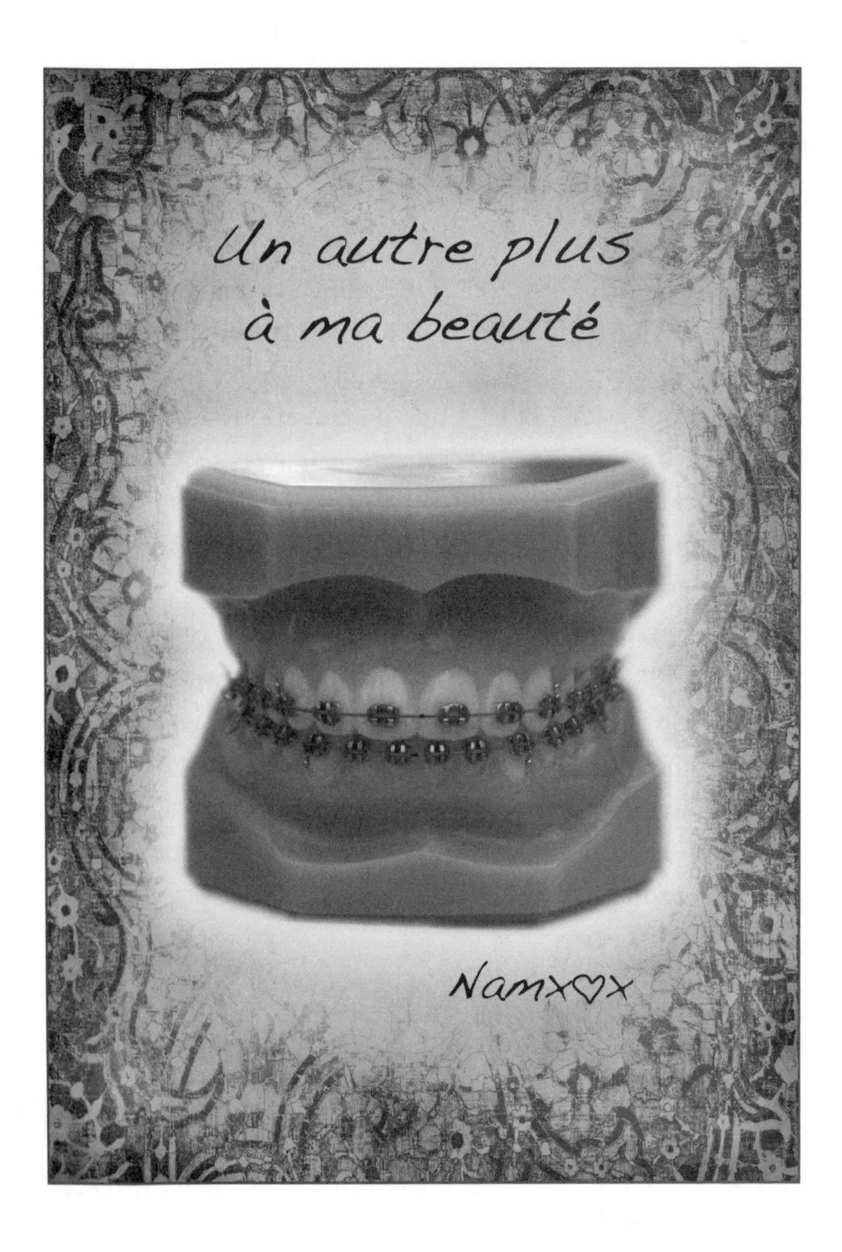
Un autre plus
à ma beauté
Namx♡x

Publié le 26 novembre à 16 h 36 par Nam
Humeur : Morne

> Journée dégueulasse

Ouais, mauvaise journée. Comme prévu, la Martine s'est ouvert la trappe et ça a créé de la *schnoute.* Dans l'autobus ce matin, Mart m'a fait la gueule. Je lui ai demandé ce qui se passait et elle ne m'a même pas répondu. Allô ? Qu'est-ce qui se passe ? J'avais beau lui parler, elle faisant semblant que je n'existais pas ! C'était complètement ridicule.

En géo, on a fait un travail de groupe, alors elle n'a pas eu le choix de me parler.

Moi : Qu'est-ce que j'ai fait ?

Elle : Pourquoi tu ne te mets pas avec Zac ?

Ah ! Voilà ! J'ai fait mon innocente.

Moi : Quoi, Zac ? C'est quoi le rapport ?

Elle : Ne me prends pas pour une dinde. Je sais que vous sortez ensemble.

Je ne pouvais plus m'échapper, j'étais coincée.

Moi : Qui te l'a dit ?

Elle : Pas de tes affaires.

Moi : Y'a que Martine qui le savait. C'est elle.

Elle : Ouais, Martine le savait et pas moi, ta supposée *best.*

Moi : T'es ma best, tu le sais. C'est juste que c'était délicat, tu comprends ?

Elle : Non, je ne comprends pas.

Moi : Ce n'est pas moi qui l'ai dit à Martine, c'est Zac.

Elle : Ouain.

Le prof est passé pour voir où on était rendues dans notre travail. On a fait semblant de travailler.

Moi : Écoute, Mart, je ne savais pas trop comment te l'annoncer. Je voulais que tu le saches, mais je ne voulais pas te blesser.

Elle : Eh bien, c'est raté.

Moi : Tsé, tu me dis que je serais stupide de sortir avec et après tu t'attends à ce que je t'annonce que c'est mon chum ?

Elle : C'est lui qui t'envoyait des messages anonymes ?

Moi : Ouais.

On n'a pas travaillé de la période, finalement. Mais à la fin, on s'est réconciliées. Elle m'a dit qu'elle était *frue* parce qu'elle avait l'impression que Zac s'était servi d'elle pour s'approcher de moi. Je lui ai dit que ce n'était pas le cas. À la fin de la journée, cette histoire était derrière nous. Et je tenais la main de Zac devant tout le monde, sans me cacher ! 😊

Mart s'est même moquée de moi : elle a posé un des masques au visage triste sur son visage et elle m'a pointée du doigt. Elle m'a traitée de Réglisse noire. J'ai raté la dernière période parce que je devais aller chez le dentiste. J'ai eu un rendez-vous il y a un an et il m'a dit que si mes dents d'en haut n'étaient pas plus droites, il faudrait agir. Mauvaise nouvelle : je vais devoir porter des broches. Ark ! 😖 Pas pour longtemps, genre de six mois à un an. Mais Zac en a aussi. Est-ce qu'il y a des chances qu'on reste coincés si on s'embrasse ?!

Ma bouche va avoir l'air d'une clôture. Il y a Internet sans fil, pourquoi il n'y aurait pas des broches sans fil ?

Avec mes lunettes, je vais avoir l'air d'une vraie *geek*.

Publié le 26 novembre à 19 h 58 par Nam
Humeur : Inquiète

> Il ne lâche pas

Antoine agit vraiment drôlement. Et honnêtement, ça commence un peu à me faire peur.

On *tchattait*. Il me parlait d'un film psychotronique qu'il avait vu, avec des trolls qui envahissent la planète ou quelque chose du genre. Je *tchattais* aussi avec Zac et Mart, alors je le lisais distraitement. Et là, pas rapport, il me demande si je l'aime encore.

Moi : Je t'aime comme ami.

Ah! La vengeance!

Lui : Mais mettons que je serais libre, est-ce que tu sortirais avec moi?

(Bon, là, je reformule ses phrases parce qu'en vérité, ça donne : « Mé meton que je serè lib, tu sortirè avc moi? »)

Moi : Je sors avec Zac.

Lui : Mais, mettons.

Moi : Je ne sais pas.

Lui : Tu m'aimais, non?

Je n'ai rien répondu parce que je sentais qu'il m'entraînait dans un piège. J'ai même fermé sa fenêtre.

Lui :Tu veux que je te prouve que je t'aime?

Moi : Arrête, Antoine.

Pendant deux ou trois minutes, pas de nouvelles de lui. Puis :

Lui : Je viens de casser avec Martine pour toi. Je suis libre, maintenant.

Moi : T'as fait QUOI??!!

Lui : J'ai laissé Martine pour toi.

Moi : T'es malade?! Je ne t'ai pas demandé ça!? Tu lui as dit quoi, au juste?

Lui : Je lui ai dit que je ne l'aimais pas, que j'ai fait une erreur, que c'est toi que j'aime.

Moi : QUOI?!

Shiiiiiit!

Moi : Dis-lui que je n'ai pas rapport dans cette histoire-là. Elle va vouloir me tuer!

Lui : Tu veux sortir avec moi ?

C'en était trop. Je l'ai bloqué.

Là, je discute avec Mart. Je capote un peu.

(...)

Bon, je viens d'avoir une conversation à trois avec les deux Martine. On a tout mis au clair. Je ne voulais pas davantage de bisbille entre Martine et moi. Elle est super triste, c'est sûr. Une fois que je lui ai expliqué ce qui s'était passé, ce que j'avais dit, elle a compris que je n'avais pas rapport dans tout ça.

Qu'est-ce qui se passe avec Antoine ??!! Il est devenu fou. Je l'ai rendu fou !

Bon, je vais aller faire de l'insomnie.

Meilleure impro
de ma vie
Namx♡x

Publié le 27 novembre à 21 h 31 par Nam
Humeur : Embarrassée

> **Une vraie folle!**

Je reviens d'un match d'impro. J'ai été *full* nulle! Genre le spectateur qui dormait dans la dernière rangée aurait mérité une étoile avant moi. À la deuxième impro, j'ai figé. Il a fallu que Souris vienne sur la patinoire pour me sauver. J'ai eu un blanc. Il n'y avait aucun mot qui sortait de ma bouche. Plus je voulais dire quelque chose d'intelligent (je ne me rappelais même pas du thème!), plus je restais muette. Quelle sensation horrible!

Et lors d'une impro comparée (chaque école va sur la patinoire à tour de rôle), pendant que l'autre équipe jouait, je suis embarquée sur l'aire de jeu comme si de rien n'était. J'ai commencé à imiter un bébé orang-outan qui avait faim! La honte! J'ai été punie pour obstruction ou quelque chose du genre. Afro a essayé de prendre ma défense en discutant avec l'arbitre, disant que ce n'était pas clair qu'il s'agissait d'une comparée. En tout cas, je suis restée sur le banc tout le reste du match. Après, quand les joueurs de l'autre équipe sont venus me serrer la main, j'ai vu qu'ils avaient pitié de moi. À cause de moi, on a perdu.

J'étais *full* déprimée. Tous mes coéquipiers sont venus me voir et m'ont réconfortée. Il paraît que ça arrive des fois, des mauvais matchs. Godzilla m'a raconté les trois minutes les plus longues de sa vie, quand il s'est ramassé seul sur la patinoire à chanter n'importe quoi. Il avait compris que c'était une impro « chantée », alors que c'était une impro « dansée » !!!

Mais bon, moi, je pense que c'est un hasard si j'ai été bonne pendant les deux premiers matchs. J'ai dit à Afro de trouver quelqu'un d'autre. Il m'assure que j'ai du talent, qu'il faut juste que je me laisse des chances.

La journée a été supra caca. Zac a appris qu'Antoine avait laissé Martine pour moi et il a cru que j'allais le laisser. Martine a fait son *show*, genre elle a pleuré dans TOUS les cours. Est-ce qu'elle avait besoin de montrer à tout le monde qu'elle avait de la peine ? Je la comprends, j'ai vécu la même chose. Mais tsé, faut se garder une petite gêne. C'est comme indécent de montrer sa tristesse comme ça.

Et en arrivant, j'ai appris qu'on avait une réunion familiale dimanche. Ça a l'air que mon père a une « grande nouvelle » à nous annoncer. La dernière « grande nouvelle », c'était qu'on changeait d'auto. Trop excitant.

Journée à oublier.

(...)

Je viens de *tchatter* avec Zac et il m'invite chez lui demain. On va faire notre devoir d'histoire ensemble. Et peut-être autre chose...

[1 commentaire]

* *

L'histoire n'est pas celle que vous pensez. La mort de John F. Kennedy, celle de Marilyn Monroe, les pyramides d'Égypte et les temples mayas, les hausses subites du prix du pétrole et la fonte des glaciers : ces événements possèdent d'autres explications que celles que les autorités officielles vous donnent. Ne soyez pas naïfs, joignez-vous à nous !

www.lesextraterrestressontpartout.com

* *

Publié le 28 novembre à 9 h 01 par Nam
Humeur : Catastrophée

> Pas aujourd'hui!

Je me suis réveillée ce matin avec un super gros bouton sur le front. Genre une montagne. *Full* rouge, en plus. *Shiiiiiit!* Ça n'aurait pas pu attendre à demain?! C'était quoi l'urgence de mes hormones de me faire pousser un affreux pustule en plein milieu du front le premier jour complet que je vais passer avec Zac?

J'ai mis du fond de teint par-dessus, même si Mom m'a dit qu'il fallait que je le laisse « respirer » pour qu'il disparaisse plus rapidement. Eh bien, qu'il crève étouffé! Je n'aurai pas de peine et je ne lui organiserai pas de funérailles.

Et comment je vais m'habiller? Ma jupe à carreaux avec mes collants beiges? Mes jeans avec des brillants dessus? La robe que j'ai portée au mariage de ma tante l'été dernier? Je veux peut-être avoir l'air d'être négligée? Genre mon vieux pantalon en coton ouaté troué et un t-shirt supra laid sur lequel il est écrit : « J'ai peur des années 80 »? Ahhhh! Je ne sais pas! Et comment je me maquille? Juste une ligne noire en dessous des yeux ou plus? Genre un peu de mauve sur les paupières? Du rouge à lèvres? Je ne sais pas! Est-ce que quelqu'un peut m'aider?!

Et mes cheveux! Quelle horreur! Je les brosse et ils ressemblent de plus en plus à de la laine d'acier (y'a pas un four sale à nettoyer?). Et j'ai toujours une couette qui pointe vers le plafond. Je vais la couper si elle me résiste!

J'apporte de la gomme, c'est sûr. Et du *gloss*. Et mes devoirs d'histoire. Hi! hi! hi!

De la vraie colle
cette Nicole
Namxox

Publié le 28 novembre à 18 h 27 par Nam
Humeur : Découragée

> J'ai réussi...

...à ne pas embrasser Zac ! Malgré tous les efforts que j'ai faits. Et ce n'est pas parce que je n'ai pas voulu. Oh non ! J'espérais de tout cœur qu'enfin, ça se produise. J'ai même fait un sacrifice avant de partir, comme les peuples qui veulent faire plaisir à leur dieu : j'ai brûlé le costume de mascotte de raton laveur que j'avais porté à l'Halloween. C'était dans ma chambre. J'aurais dû ouvrir les fenêtres, il y avait tellement de fumée !

OK, je déconne. C'est pas vrai. Mais bon, il aurait peut-être fallu que je le fasse ! Je vais me rappeler de cette journée toute ma vie, mais pas pour les bonnes raisons. Il y avait un obstacle de taille à l'atteinte de mon but : sa mère. Supra gentille. Rien à redire. Mais collante, c'est fou ! 😮

Dès que je suis arrivée chez lui, elle m'a sauté dessus. Elle m'a fait visiter la maison. Dans chaque pièce, elle me racontait des trucs qui s'étaient passés en rapport avec Zac. Genre ici, Zac a fait ses premiers pas. Ici, il s'est cogné la tête sur le coin du bureau. Blablabla. Je pense que la tournée a duré tout l'avant-midi.

Il y a une chambre réservée uniquement aux trophées et médailles que Zac a gagnés dans sa vie. Il y en a tellement ! Moi, la seule médaille que j'ai gagnée dans ma vie, c'est genre « Effort soutenu » pendant une compétition d'athlétisme, deux mots qui veulent dire que même si je me suis forcée, ça n'a rien donné, j'ai été poche.

Je pense que Zac a pratiqué tous les sports qui existent. Soccer, football, hockey (évidemment), karaté (reévidemment), basket-ball, handball et même curling! Les quatre murs de la chambre sont couverts de photos. Quand on a été seuls, Zac m'a dit que sa mère époussetait ses trophées toutes les semaines et qu'une fois par année, elle faisait tremper ses médailles dans une substance qui les nettoie à fond.

Je connais Zac depuis longtemps. Jamais je n'ai imaginé qu'il avait une mère comme celle-là. Je l'avais aperçue à quelques occasions, quand elle venait le reconduire et le chercher à l'école parce qu'elle avait peur qu'il prenne l'autobus (ce qui n'était pas une mauvaise chose parce que je pense qu'on n'a jamais eu un chauffeur sain d'esprit).

Et dans les lunchs de Zac, toujours super plates, elle laissait toujours des messages genre « Mange ton fromage » et « N'oublie pas de te brosser les dents ». Parce que Zac, il va se brosser les dents dès qu'il a fini de manger. Il est le seul de l'école à faire ça. C'est sa mère qui l'exige.

En tout cas, à un moment donné cet après-midi, lorsqu'elle n'a plus rien trouvé à dire, j'ai dit à Zac que ce serait une bonne idée qu'on fasse nos devoirs. Tsé, je m'attendais à ce qu'on aille dans sa chambre. Non!

Sa mère nous a fortement suggéré de les faire SUR LA TABLE DE LA CUISINE ! Parce que « la lumière est meilleure ». On a donc véritablement fait nos devoirs. On a même pris de l'avance en maths. 😧

À un moment donné, j'ai dit à Zac que ce serait une super idée d'aller regarder la télé, ou de jouer au PlayStation, ou de faire des sudokus, n'importe quoi, l'important étant de fuir sa mère. On s'en est allés dans le salon et là, je ne sais pas trop comment elle est apparue, mais elle a bondi devant nous avec un jeu de société hyper poche en nous proposant de jouer avec elle ! Et Zac a trouvé que c'était une bonne idée !

Alors on a joué et évidemment, je me suis fait battre. C'était un jeu de questions sur la culture en général et vu que Zac et sa mère connaissaient toutes les réponses parce qu'ils jouent sûrement tous les jours dès qu'ils ont une minute de libre, ils m'ont humiliée. En plus, sa mère triche ! Tsé, quand Zac ne connaissait pas la bonne réponse, elle lui donnait plein d'indices. Mais quand c'était mon tour, rien.

On a fini de jouer et enfin, on est allés regarder la télé au sous-sol. Sa mère a essayé de nous en empêcher, mais Zac a insisté, disant qu'il voulait être seul avec moi. Wow ! Je ne pensais jamais que ça arriverait ! J'avais peur qu'on commence à faire du tricot, les trois ensemble.

Donc on est descendus et Zac a allumé la télé. Il a commencé à zapper et il s'est arrêté sur un truc genre sur les nains de jardin. Il avait vraiment l'air captivé ! Je me suis collée sur lui et il a mis sa main dans la mienne.

L'intimité a duré un gros trente secondes. Sa mère avait, tout à coup, le goût de passer l'aspirateur. Après, elle a fait de l'époussetage.

Son père est rentré et il est venu me saluer. C'est un policier et je pense qu'il porte une perruque. Ou peut-être que ses cheveux étaient très sales. Je ne sais pas trop.

Bref, il ne s'est rien passé. R-I-E-N.

Au moins, mes devoirs sont faits pour la fin de semaine. Et je lui ai tenu la main. GÉNIAL !

Publié le 29 novembre à 12 h 36 par Nam
Humeur : Ennuyée

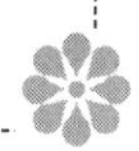

> Je bâille aux corneilles

Y'a rien à faire aujourd'hui. Mart est partie avec son père et Zac est à l'aréna pour une pratique de hockey.

Parlant de Zac, j'ai fait un rêve vraiment horrible. C'est plus qu'un mauvais rêve, c'est un supra cauchemar. Genre après, tu ne veux plus t'endormir de peur de refaire le même rêve. J'étais à l'aréna, dans les estrades, et là Zac arrive dans son habit de hockey. Et il me demande ce que je fais là. Je lui réponds que je suis venue pour l'embrasser. Il s'approche de moi et pose ses lèvres sur les miennes. Mais quelqu'un me tapote l'épaule. Je me retourne, c'est Tintin avec une de mes vieilles petites culottes sur la tête. Il me dit que je n'embrasse pas la bonne personne. Je me retourne et C'EST LA MÈRE DE ZAC QUE J'EMBRASSE !!! 😱 Et là elle me poursuit dans l'aréna pour que je continue. Beurk !

En me réveillant, je suis allée rejoindre mes parents dans leur lit. Nan, je niaise. Mais bon, j'étais traumatisée. Ça m'a pris genre une heure avant de me rendormir. On dit que les rêves sont symboliques, que c'est l'inconscient qui passe des messages. C'est quoi le message ?

Je m'emmerde. Je n'ai rien à faire. Incroyable mais vrai, tous mes devoirs sont finis. De toute façon, même si j'en avais, je ne les toucherais pas. J'attendrais à la dernière minute, comme d'hab.

J'ai envie d'aller écœurer mon frère, mais il dort encore. Je pense qu'il a passé une bonne partie de la nuit à *tchatter* avec la princesse aux grosses boules qui crache du feu. Je me demande bien ce qu'ils ont à se dire. Quoique quand on s'invente une vie, on peut raconter n'importe quoi.

C'est ce soir que mon père va nous révéler sa « grande nouvelle ». J'ai essayé d'en savoir plus. Je suis allée *gosser* ma mère, mais ça n'a rien donné. Elle m'a dit « tu vas voir ». Voir quoi ? Pop va changer de sexe ? 😜

Qu'est-ce qu'il pourrait bien nous annoncer ? Qu'il va repeindre le salon en rose ? Qu'il va convertir le garage en club de danse en ligne ? Qu'il renonce à être militaire pour consacrer le reste de sa vie à faire de l'aménagement paysager ? Je m'attends à quelque chose d'aussi spectaculaire. Genre je vais tomber en bas de ma chaise.

(...)

Bon, là, ça devient plus inquiétant. J'ai demandé à Mom si c'était possible de ne pas y aller et elle m'a répondu le plus sérieusement du monde que c'était trop important pour que je n'y aille pas. Est-ce que c'était une blague ? Je lui ai dit que je pensais que sa « bonne nouvelle » allait être sans intérêt. Elle m'a dit : « ce n'est pas une bonne nouvelle ». C'est un peu chien de la part de ma mère de ne pas me dire ce que c'est. C'est peut-être qu'il part pour la guerre ?

Bon, là, je suis vraiment inquiète. La guerre, c'est terrible. Il y a quelques années, il est parti en mission de paix. Il a rapporté plein de photos, mais surtout des histoires incroyables. Mais pas incroyables dans le sens *cool*. Plus des histoires d'horreur genre de familles qui n'avaient plus de maison et d'enfants devenus orphelins.

Sauf que là, s'il va à la guerre, ce sera pour faire la guerre, justement. Et ça, c'est vraiment pas *cool*.

(...)

Je viens de *tchatter* avec Antoine. Il m'a encore demandé si je voulais sortir avec lui. Qu'est-ce qu'il ne comprend pas dans ce mot de trois lettres : N-O-N ?

Je n'arrête pas de penser à ce soir. Je suis *full* angoissée. En plus, si Pop part à la guerre, ce sera pour au moins un an.

Je vais essayer de me changer les idées en lisant.

Publié le 29 novembre à 19 h 56 par Nam
Humeur : Secouée

> C'est la cata

Je pense que la « grande nouvelle » que Pop nous a apprise ce soir est encore plus grave que s'il allait à la guerre. Avant de partir pour le resto, j'ai demandé à mon frère ce qu'il pensait que Pop allait nous annoncer. Il m'a dit qu'il les avait entendus parler et m'a informée de ce qu'il en avait déduit. Je lui ai dit que ça n'avait pas rapport, mais la vérité, c'est qu'il avait vraiment trop rapport.

La nouvelle, c'est qu'on déménage !!! Mon père est muté dans une autre ville. Et paraît qu'il n'y a rien à faire. Que ce sont les risques du métier, que c'est comme ça, et qu'il faut vivre avec. Et ce n'est pas la ville d'à côté. Non ! C'est genre à 500 kilomètres d'ici !

Shiiiiiit! Ça veut dire que je vais devoir changer d'école et d'amis. Sans Mart, je vais faire quoi ? Et y'a Zac aussi. Comment on va faire pour se voir ?!?!

Je voudrais pleurer, mais c'est comme coincé dans ma gorge. C'est peut-être parce que je ne réalise pas encore ce qui se passe.

J'habite dans cette maison depuis que j'ai 3 ans, tous mes souvenirs y sont liés. Je ne peux pas déménager !

J'ai un peu capoté dans le resto. Mom m'a dit que ce n'est pas sûr qu'on va déménager. Si ce n'est pas si sûr, pourquoi Pop nous en a parlé ?

Fred, lui, n'a pas trop réagi. Il ne réagit jamais, en fait.

(...)

Je viens de *tchatter* avec Zac. Il est tellement chou. Je l'aime !!! Il m'a dit que ce n'était pas grave, qu'on allait toujours sortir ensemble et que s'il le fallait, il viendrait me voir en autobus. Il dit que ça va juste rendre notre amour plus fort. J'aimerais l'avoir à mes côtés, maintenant. Je voudrais le prendre dans mes bras et le serrer très fort.

Je ne peux pas déménager. Ma vie est ici.

Mom aussi est déçue. Elle devra changer d'hôpital. Grand-Papi, lui, dit qu'il est trop vieux pour gaspiller du temps à être triste.

En plus, si on déménage, on ne sera pas les seuls. Y'a la famille Pincourt, avec ses deux monstres, qui va aussi s'établir là-bas. Super, je ne pourrai même pas profiter du seul avantage que j'aurais pu avoir en habitant loin de chez eux.

[1 commentaire]

****

Changer de vie vous intéresse? Grâce à notre programme spécialement conçu pour vous, vous pourrez transformer entièrement votre existence. Pour quelques dollars de plus, votre visage sera complètement remodelé par notre spécialiste de la chirurgie esthétique, un boucher mondialement reconnu pour ses coupes nettes.

http://www.nouvellevienouveauvisage.com

****

Publié le 30 novembre à 17 h par Nam
Humeur : Enchantée

> Encore surprise

Malgré la mauvaise nouvelle que j'ai eue hier soir (que je ne réalise pas vraiment encore), j'ai passé une super belle journée aujourd'hui. J'ai eu le résultat du dernier exam de maths que je pensais couler. J'ai eu 90 %. Je pensais que la prof s'était trompée, mais non. On l'a révisé en classe et j'ai effectivement eu 90 %. J'aime ça, ce genre de surprise !

Y'a eu une pratique d'impro où je me suis trouvée pas mal *hot*. Faut dire que Zac y assistait, on dirait que ça m'a inspirée. Tant mieux parce que je pensais vraiment que je n'allais plus jamais pouvoir improviser de ma vie. Mais je pense quand même que chaque fois que je vais mettre les pieds sur une scène pendant une impro, je vais avoir la chienne de ne pas savoir quoi dire et je vais penser au bébé orang-outan que j'ai imité. Afro m'a dit que je devais apprendre à faire le vide. Et à utiliser cette peur comme un moteur. OK ! Vroum, vroum !

En fait, ce qui m'a rendue vraiment de bonne humeur, c'est ce qui s'est passé hier soir. Un truc *full* romantique.

Je me suis couchée à 21 heures. Je lisais dans mon lit quand j'ai entendu un bruit venant de la fenêtre. Comme si on y avait jeté un caillou. J'ai continué de lire, comme si de rien n'était. Genre deux minutes plus tard, ça cogne à la fenêtre de ma chambre ! Tsé, c'est pas le genre de bruit que je suis supposée entendre, je suis au deuxième étage !

J'approche tranquillement et je vois... le visage de Zac ! J'ai fait un saut ! Mais qu'est-ce qu'il faisait là ?!

J'ai ouvert la fenêtre et je l'ai laissé entrer dans ma chambre. Il a fait quelque chose de vraiment dangereux, parce que pour arriver à ma fenêtre, il a dû grimper sur la clôture et après, se hisser sur le toit du garage. En plus, dehors, il faisait vraiment froid, il ventait et il pleuvait. Tintin est déjà tombé du toit en essayant de faire du *skate* dessus. C'est haut !

Zac est entré avec une rose rouge et il me l'a donnée. Il m'a dit que c'était pour me consoler de ma peine de déménager. Trop *cuuuuuuuute !*

(Je dois lui demander où il a trouvé une rose rouge un dimanche soir.)

Ses parents n'étaient même pas au courant qu'il était avec moi. Il s'était sauvé de chez lui comme il était venu chez moi : par la fenêtre de sa chambre !

Moi : Qu'est-ce que tu vas faire s'ils s'en rendent compte !? Ils vont appeler la police !

Zac : L'important, c'est toi.

Il a pris sa bicyclette et il a roulé cinq kilomètres dans une température de *schnoute* pour venir me rejoindre.

Pendant qu'on parlait, j'ai entendu les marches craquer. Quelqu'un approchait ! J'ai dit à Zac de se glisser sous le lit, même s'il n'y avait pas de place parce que j'y pousse toutes les choses que je n'ai pas le goût de ranger.

Mom a cogné et elle est entrée.

Mom : Qu'est-ce qui se passe ?

J'étais debout, je refermais la fenêtre.

Moi : Rien, Rien. J'avais besoin d'air.

Mom : Il me semble avoir entendu des voix ?

Moi : Ouais, je répète tout haut une pièce que je vais jouer.

MENTEUSE ! J'avais l'air zéro crédible.

Mom : Une pièce ? Laquelle ?

Je pense que j'ai dit quelque chose comme « La danse des oranges », aucun rapport. Je suis retournée dans mon lit et j'ai repris mon livre, l'air innocent. Ma mère restait là, à me regarder.

Moi : Quoi ?

Mom : Rien, rien. T'es juste un peu bizarre. Bonne nuit.

C'est là que j'ai vu le museau de Youki se pointer dans l'entrebâillement de la porte. J'ai pensé : « Oh ! oh ! ». Je ne m'étais pas trompée. Il s'est tout de suite dirigé sous le lit et il a commencé à japper comme un malade. Mom s'est approchée pour le calmer, mais j'ai été plus rapide qu'elle. Youki était vraiment en feu. Je l'ai attrapé par la queue et je l'ai amené sur le lit. (OK, ce n'est pas si grave, je le tire souvent par la queue et il aime ça. C'est un petit chien. Pas besoin d'appeler la Société protectrice des animaux.)

Ce qui m'a aidée, c'est que Youki pète parfois les plombs sans trop savoir pourquoi. Comme si un fusible sautait dans sa tête. Grand-Papi dit qu'il voit des fantômes. Moi je pense qu'il a une maladie mentale. En tout cas, ça a fait en sorte que son comportement n'a pas paru trop étrange.

Mom est enfin partie avec le chien sous le bras. Et Zac est sorti de sa cachette.

Mais là faut que j'aille souper. Le reste après.

L'amoureux
somnambule
Namx♡x

Publié le 30 novembre à 20 h 31 par Nam
Humeur : Envoûtée

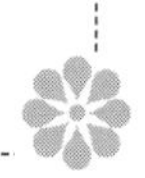

> Encore surprise

Bon, j'étais rendue où? OK. Zac sort de dessous le lit. Mais là, je me rends compte que je porte mon vieux bas de pyjama vraiment laid et une camisole Winnie l'ourson. L'horreur! J'ai les cheveux en bataille mais heureusement, je viens de me brosser les dents.

Lui : Je ne pourrai pas rester longtemps. Si ma mère découvre que je ne suis pas dans ma chambre, je suis mort.

Moi : Je vais m'habiller un peu...

J'accroche ma robe de chambre, mais il m'empêche de la mettre.

Lui : T'es belle comme ça.

Il retire ses souliers et se couche sur mon lit. Il me tend les bras.

Lui : Viens me rejoindre.

Je m'étends à ses côtés. Je pose ma tête sur son torse et il joue dans mes cheveux.

Lui : Ça sent bon. C'est quoi, l'odeur?

Moi : Euh... Un shampoing.

Il éteint ma lampe de chevet. Nous sommes plongés dans l'obscurité. Nous restons pendant de longues minutes dans cette position. Je suis supra bien.

Il pose un baiser sur ma tête et chuchote : « Je t'aime ».

Je relève la tête. Je ne m'attendais pas à être si proche de lui. Genre que nos bouches sont à dix centimètres.

Moi : Moi aussi je...

Je n'ai pas eu le temps de terminer ma phrase. Il a posé ses lèvres sur les miennes.

Eh oui, j'ai enfin vécu mon premier *french kiss !!!* Et c'était... Comment dire ? Spécial. La sensation est vraiment étrange. C'est genre chaud et mouillé. Et finalement, c'est un peu con l'idée de faire tourner sa langue comme si elle était une aiguille d'horloge.

J'avais les yeux ronds tellement j'ai été saisie. Pris hors contexte, ça peut paraître dégueulasse. Tsé, on s'échange de la salive et plein de microbes. Mais quand on est dedans, c'est une situation plus qu'acceptable. C'est quelque chose d'indescriptible parce que tous nos sens sont en alerte.

☒ **LE GOÛT** (c'est évident)

☒ **LE TOUCHER** (je lui passais la main dans les cheveux)

☒ **L'ODORAT** (pas le choix, faut respirer par le nez et l'autre est pas mal proche de nous !)

☒ **LA VUE** (le visage de quelqu'un vu de si près, c'est vraiment *weird*. Prochaine fois, je ferme les yeux parce que franchement, y'a rien à voir !)

☒ **L'OUÏE** (je tendais l'oreille parce que j'avais peur que Mom monte les marches !)

Je ne sais pas trop combien de temps ça a duré, mais pas assez à mon goût !

Conclusion, c'est bon ! C'est même assez génial. Faudra se reprendre. Hi ! hi ! hi !

Je me suis endormie sur la poitrine de Zac pendant qu'il me caressait les cheveux. Je me suis réveillée en sursaut à 2 h du matin. Je dormais toujours sur Zac ! Mais il ne pouvait pas passer la nuit avec moi ! Et si sa mère s'était rendu compte qu'il était parti ?! Et si elle avait donné l'alarme ? Et si les hélicoptères survolaient déjà la ville pour le retrouver ?

Ah ! J'imagine la réaction de Mom quand elle nous verrait descendre ensemble pour aller déjeuner.

Tout de même, avant de le réveiller, j'ai examiné son visage. Il faisait sombre, je ne voyais que le contour et quelques détails. Pas grave, c'est à ce moment que j'ai pris conscience que Zac est super beau.

Je l'ai réveillé en lui caressant les cheveux. Il a ouvert les yeux, je lui ai dit qu'il devait partir, il s'est levé et a ouvert ma fenêtre pour s'en aller.

Moi : Zac, tes souliers.

Il les a chaussés, mais à l'envers. Je lui ai fait remarquer mais il a dit qu'il était trop endormi pour les remettre à l'endroit. Pourtant, il n'était pas trop endormi pour sortir par la fenêtre et sauter sur le toit du garage ! Ça m'inquiétait un peu, d'autant plus qu'il a glissé dès qu'il a mis un pied sur le toit. Il a retrouvé l'équilibre au dernier instant. Je m'imaginais mal aller réveiller mes parents pour leur dire d'appeler une ambulance parce que mon *chum* était tombé du toit ! À 2 h du matin !

Il s'est rendu sain et sauf à la maison. Sauf qu'il était trop vache pour entrer par sa fenêtre. Donc il a utilisé la porte de derrière. Et sa mère l'a entendu et elle est allée voir ce qui se passait. Zac a donc décidé de faire comme s'il était... somnambule ! Hi ! hi ! hi ! Et sa mère l'a cru !

Zac m'a raconté tantôt qu'elle avait appelé son médecin pour lui parler de ce « problème ». Paraîtrait que c'est normal à l'adolescence d'avoir des comportements étranges, comme le somnambulisme. Ça aurait rapport aux hormones. 😆

Donc, prochaine fois qu'on se voit et qu'on se fait prendre, on aura une raison à donner !

Sauf que maintenant, la mère de Zac veut dormir dans la même chambre que lui pour l'empêcher de sortir seul la nuit. Mais son père pense que c'est inutile parce que, de toute façon, elle ronfle tellement fort qu'elle ne va rien entendre si Zac se lève. Paraît qu'un été, alors que les fenêtres étaient ouvertes, un voisin s'était plaint du bruit !

Avec tout ça, Zac a réussi son défi, celui de me faire oublier la mauvaise nouvelle de Pop. J'ai décidé de prendre ça à la légère. Ça ne me sert à rien de paniquer maintenant.

Je file à la douche avant qu'il ne reste plus d'eau chaude.

Un autre
baiser s.t.p.
Namx♡x

Publié le 1er décembre à 16 h 44 par Nam
Humeur : Pensive

> Un problème : plusieurs solutions

Ce midi, première réunion des personnes qui vont faire partie du comité contre le harcèlement. Le directeur a décidé d'appeler ça le « Projet Réglisse rouge ». *Cool!*

Y'a deux élèves par niveau qui font partie du comité, plus deux profs et le directeur. Comme il m'avait demandé de recruter quelqu'un en secondaire 1, j'ai pensé à ma *best*. La semaine dernière, Mart m'avait dit oui, mais aujourd'hui, c'était non. Dans l'autobus ce matin, je lui ai raconté ce qui s'était passé avec Zac, mais c'était comme si elle ne m'écoutait pas. Genre j'avais l'air de l'écœurer avec mes histoires d'amour. Et puis, elle a commencé à se tenir régulièrement avec Martine, la-fille-aux-1000-G-*strings*. Elle dîne avec elle et dès que je vais les rejoindre, elles arrêtent de parler ou changent de sujet. C'est poche.

La première réunion s'est bien passée. Tout le monde est d'accord pour que le harcèlement arrête, mais personne ne sait trop comment faire. Un des profs a dit qu'il faudrait que ce soit « tolérance zéro ». Une personne qui constate un harcèlement doit immédiatement intervenir. Mais un autre prof a répondu qu'un pareil comportement ne règlerait pas le problème en profondeur, les harceleurs vont aller faire leur « travail » ailleurs. Une élève de secondaire 4 a suggéré la mise en place d'une espèce de campagne de sensibilisation avec des affiches dans l'école. J'avais du mal à me concentrer parce que je regardais le directeur du coin de l'œil. Je le revoyais en train de pleurer, comme lorsque je lui ai raconté ma peine d'amour... ☹

J'étais aussi pas mal dans mes pensées. Je suis obsédée par la langue de Zac. Ha ! ha ! Je veux dire que je pense à tout ce qui s'est passé et ça me met dans un drôle d'état. J'ai hâte de recommencer. C'était tellement bon ! Pendant les cours, je regarde Zac le plus souvent possible. J'ai du mal à imaginer que c'est mon *chum !* Quand il voit que je l'observe, il m'envoie un baiser soufflé ou avec ses lèvres, il me dit « je t'aime ».

C'est différent d'avec Antoine. Avec lui, je vivais mon amour dans ma tête. Tout était parfait parce que j'étais la seule à l'aimer. Je contrôlais tout, je pouvais m'imaginer dans n'importe quelle situation avec lui. Avec Zac, parce que je le connais depuis longtemps, je ne suis pas tombée follement amoureuse de lui. Ça s'est fait graduellement. Sauf que je suis maintenant comme dans un train. Il prend du temps à démarrer, mais une fois qu'il est lancé, rien ne peut l'arrêter !

Je n'ai jamais douté de mon amour pour Zac. C'est juste qu'au début, j'étais comme engourdie. Parce que c'était une supra grosse surprise qu'il soit amoureux de moi. Je ne m'y attendais vraiment pas.

Il va falloir que j'annonce à Mom que j'ai un *chum*. Mais bon, elle s'en doute quand même un peu, je lui parle souvent de lui. Elle me pose des questions *full* subtiles genre : « Zac, c'est juste un ami ? » ou « Aimerais-tu qu'un jour Zac devienne ton *chum ?* ». Je lui réponds à chaque fois « rapport ?! ».

Je n'ai pas honte. C'est juste que je ne suis pas prête à lui dire.

J'ai plein de devoirs à faire. Comme d'hab, je vais m'appliquer. De cette façon, je vais m'en débarrasser le plus lentement possible. Question de faire durer le plaisir. Je suis comme ça, moi, une vraie perfectionniste. 🙂

Publié le 1er décembre à 20 h 14 par Nam
Humeur : Déconcertée !

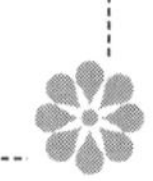

> **Elle m'en veut !**

Ça vient de péter avec Mart. Et ça a pété d'aplomb, en plus.

Elle était en ligne, j'ai essayé de lui parler, mais elle ne me répondait pas. Et là, à un moment donné, elle s'est déconnectée. Mais Zac m'a dit que de son bord, elle était toujours là. Ça voulait dire qu'elle m'avait bloquée !!! Tsé, je suis sa *best !* Ça ne se fait pas.

Donc je l'ai appelée. J'ai fait *67 avant, pour être sûre qu'elle réponde. Parce que si elle ne voulait pas m'écrire sur Messager, c'était évident qu'elle ne voulait rien savoir de me parler de vive voix. Ça a fonctionné, c'est elle qui m'a répondu.

Sa voix était *full* enjouée, mais quand elle a compris que c'était moi au bout du fil, elle a changé de ton.

Elle : Depuis quand t'as un numéro confidentiel ?

*Moi : J'ai fait *67. Je voulais être sûre que tu me répondes.*

Elle : Qu'est-ce que tu me veux ?

Moi : Est-ce que je t'ai fait quelque chose ? T'es full bête avec moi.

Elle : Non.

Moi : Ben là! Tsé, tu ne m'écoutes pas, à l'école tu me fuis et tu viens de me bloquer sur Messager. Y'a quelque chose qui cloche.

Elle : Ouain, ding dong.

Moi : Quoi?

Elle : Laisse faire.

Moi : Tsé, on s'est toujours tout dit. C'est évident que je t'ai fait quelque chose, mais je ne sais pas quoi.

Elle : Laisse faire.

Moi : Mais non. Tu vas faire durer ça combien de temps?

Elle : Aussi longtemps que tu vas être avec Zac.

Ahhhhhhhhh! Le chat était sorti du sac.

Moi : Je vais être avec lui jusqu'à la fin de ma vie, ça va durer longtemps.

Elle : Ha! ha! ha!

(C'était un rire plein de sarcasme.)

Moi : Quoi?!

Elle : Voyons, Nam, genre que ça va durer un mois et après, tu vas casser et après, ça va être la fin du monde. T'es amoureuse, tu ne te rends compte de rien.

Moi : C'est l'homme de ma vie.

Elle : Regarde, tu connais beaucoup de filles qui, à 30 ans, sont encore avec le même *chum* qu'elles avaient à 13 ans?

Moi : Ma cousine Sabrina.

Elle : C'est une exception.

Moi : Ça existe.

Elle : En tout cas.

Moi : C'est quoi ton problème ? Je suis heureuse et ça te dérange ?

Elle : Rapport ?!

Moi : Vide-toi le cœur et après ça va aller mieux.

Elle : Je ne suis juste plus capable de vous voir vous tenir la main, vous envoyer des messages ou des becs. Ça m'écœure.

Moi : T'es jalouse ?

Elle : Ouais, c'est ça. Je suis jalouse.

(Sur un ton exagéré, comme si de dire qu'elle était jalouse était la plus grosse niaiserie du monde.)

Moi : Mais qu'est-ce que tu veux que je fasse ? On s'aime.

Elle : Regarde, je pense qu'on va arrêter d'être amies, d'accord ? Y'a pas de solution et je trouve chien que tu sortes avec Zac. Martine dit que si t'avais été ma vraie *best*, tu n'aurais pas fait ça.

Moi : Qu'est-ce que Martine a à voir avec notre histoire ?

Elle : Elle m'a fait réaliser bien des choses. L'impro, ton *chum*... T'es plus la même.

Moi : Comment ça?

Elle : Laisse faire.

Moi : Non! Je ne veux pas...

Et elle m'a raccroché au nez! Ma *best!* C'est supra insultant.

Est-ce que j'ai halluciné? Est-ce que Mom a mis de la drogue dans ma soupe sans que je m'en aperçoive? Qu'est-ce que j'ai fait de si mal pour mériter ça? J'aime Zac, est-ce que c'est un crime? Jamais je n'ai voulu faire suer Mart pour la rendre jalouse. C'est vraiment pas mon genre. On ne fait pas ça à une *best!* Tsé, si Mart était heureuse en amour, je serais juste contente pour elle, même si, dans le fond, ça me dérangerait.

Je vais aller me changer les idées en lisant.

Publié le 1er décembre à 16 h 39 par Nam
Humeur : Affligée

> Ma *best* n'est plus ma *best*

Je pense que Mart n'est plus ma *best*. Aujourd'hui, elle ne m'a pas adressé la parole une seule fois. Ce matin et cet après-midi, elle a pris un autre autobus pour m'éviter. D'ailleurs ce matin, lorsqu'elle m'a aperçue dans le bus, elle l'a laissé partir sans y monter. Elle n'a jamais fait ça avant.

Elle est devenue la copie conforme de Martine. Elle porte trois montres, comme elle. Tsé, elle trouvait ça stupide et maintenant, c'est *cool?* C'est quoi l'affaire ? Je pense qu'elle est de moins en moins Réglisse rouge.

Je suis super heureuse d'être avec Zac. Mais ce n'est pas la même relation qu'avec une *best*. Il y a des trucs dont je ne peux pas discuter avec mon *chum*.

Au moins, j'ai eu une bonne idée pendant la nuit pour le projet Réglisse rouge. On pourrait monter une pièce de théâtre à l'école sur le harcèlement psychologique. Comme ça, on serait sûr que le message passerait. Les affiches, c'est bien, mais ce n'est pas tout le monde qui va les regarder. La pièce, les élèves n'auront pas le choix. Et la pièce, elle serait courte et *punchée*. Parce que la dernière fois qu'une troupe de théâtre est venue à l'école, elle n'a pas remporté un vif succès. C'était la troublante histoire d'une fille qui ne s'aime pas et qui, avec des ciseaux, essaie de se couper le ventre. Tsé, la fille était supposée être une ado, mais la comédienne qui la jouait avait genre 93 ans. C'était supposé parler du mal-être de l'adolescence. Des fois, c'était tellement exagéré que les spectateurs riaient. À un moment donné, on parlait dans la salle, alors la comédienne a interrompu le spectacle et elle a commencé à engueuler les spectateurs. En tout cas, à la fin, lorsque meurt la supposée ado, pas la comédienne frustrée de 93 ans, j'ai moi-même failli m'endormir tellement c'était plate.

Shiiiiiit! Ça me fait vraiment de la peine ce qui arrive avec Mart. Est-ce qu'il y a quelque chose que je pourrais faire pour redevenir sa *best?* Est-il trop tard? J'espère que non!

Bon, devoirs *time*.

[1 commentaire]

Une langue et
son weimaraner
Namx♡x

Publié le 1er décembre à 20 h 57 par Nam
Humeur : Inconsolée

> Recherche amie désespérément

Des fois, il y a des drôles de hasard. Je vais raconter mon histoire, après je vais m'expliquer.

Le dernier message publicitaire que j'ai reçu m'a intriguée. J'ai cliqué sur le lien et je me suis dit « pourquoi pas ? ». Mettons que je me trouve une nouvelle amie, ce serait *cool*. Virtuelle, mais c'est pas grave, ça ferait quelqu'un avec qui parler une fois de temps en temps.

Donc j'ai rempli la fiche. Nom (j'ai triché), sexe (pas triché), âge (pas triché), ville (j'ai triché), buts recherchés (pas triché), passe-temps (un peu triché), amitié recherchée (pas triché). Et voilà, en trois clics, j'étais dans un forum. Et là, genre, y'a comme dix personnes qui voulaient me parler. Deux gars m'ont demandé mon âge et mon sexe (c'est écrit !), quatre gars m'ont demandé d'ouvrir ma *cam* (dont trois qui avaient plus de 30 ans !), deux gars voulaient me faire un « show » (d'humour ? de rock et roule ? de danse polonaise ? je ne voulais pas vraiment savoir), un gars m'a saluée et un autre m'a demandé si j'étais toute nue. Génial. C'est écrit dans mon profil que je veux être amie avec une FILLE. Qu'est-ce qui n'est pas clair ? Bref, de la *schnoute*.

J'allais fermer la fenêtre quand on m'a abordée. Elle s'appelle Agathe. 13 ans, comme moi. Et elle se cherche une amie !

On a *tchatté*. Tout de suite on s'est entendues pour dire qu'il y avait pas mal d'obsédés sur ce forum.

On a commencé à parler de toutes sortes de choses, genre les films qu'on aime, les livres (Agathe aime beaucoup la lecture, comme moi), les magasins qu'on préfère, nos matières favorites à l'école. J'étais *full* contente. Ça connectait vraiment entre nous deux. Lorsqu'elle m'a demandé si j'avais un *chum*, j'ai dit oui et je lui ai parlé de Zac. Mais là, elle s'est mise à me poser des questions de plus en plus personnelles. Alors je lui ai dit gentiment que c'était comme pas de ses affaires. Et là, eh bien, « Agathe » a commencé à m'écrire plein de cochonneries genre des trucs qu'elle me ferait et ça n'arrêtait pas. J'essayais de fermer la fenêtre, mais je n'y arrivais pas parce que l'ordi boguait. J'étais comme forcée de lire ce qu'elle écrivait, j'étais trop curieuse et en même temps, je trouvais ça terrible. C'était comme si j'étais obligée de la lire. J'étais si scandalisée que j'ai mis la main sur mes yeux.

Finalement, je ne pense pas qu'elle va devenir mon amie. En fait, si elle est bien une ado de 13 ans, moi, je suis la reine d'Angleterre en bikini.

Pour revenir au « drôle » de hasard, l'ami de mon frère, Tintin, m'a raconté que la correspondance de Fred avec une princesse aux grosses boules qui crachait du feu ou quelque chose du genre s'est bizarrement terminée. (À noter que Tintin porte maintenant des jupes grises ou brunes en laine.)

Fred est tombé amoureux de la fille. Genre ils

s'entendaient vraiment bien dans leur monde et voulaient fonder une famille (ça aurait fait, j'imagine, des bébés chevaliers musclés qui crachent du feu — c'est pas moi qui les aurais gardés, en tout cas). La fameuse princesse affirmait qu'elle avait trouvé une manière de cracher du feu dans la « vraie » vie.

Bref, ils se sont donné rendez-vous en ligne. Tintin a assisté à la rencontre. À un moment donné, Fred lui a demandé si elle avait une *cam*. Elle a dit oui, mais ne voulait l'ouvrir qu'à la condition que mon frère lui envoie d'abord une photo de lui, ce qu'il a fait.

Parenthèse. Tintin m'a dit que mon frère était PERSUADÉ que la fille de l'autre bord était *full hot*. Elle avait le même âge que lui, et les mêmes intérêts et passions. Bref leur univers idéal était semblable. Fred se disait qu'il n'y avait qu'une fille super intéressante et belle comme une déesse qui pouvait être comme lui. Fin de la parenthèse.

La princesse a trouvé mon frère beau bonhomme, même s'il était « jeune ». Après ça, elle ne voulait plus tenir sa promesse, de crainte que mon frère la trouve moche.

Parenthèse. Fred a dit que les chances que la fille soit un super pétard augmentaient de manière exponentielle parce que selon lui, les filles qui se trouvent laides sont en fait super belles. On ferme la parenthèse.

Après genre dix minutes de pourparlers, elle a ouvert sa *cam*. Et mon frère a eu un choc. Genre qu'il ne s'attendait vraiment pas à ça, même dans ses cauchemars les plus angoissants.

Description faite par Tintin : la femme avait genre 45 ans. Elle était grosse et avait deux ÉNORMES seins. Elle portait un chandail avec des cernes jaunes en dessous des bras et ses cheveux qui brillaient de gras étaient peignés sur le côté. Et elle fumait cigarette sur cigarette. Pendant que Tintin était par terre, s'étouffant dans ses rires, Fred essayait de trouver un moyen de mettre fin à la conversation le plus gentiment possible. Et c'est alors que la princesse lui a demandé s'il était intéressé à voir comment elle « crachait du feu ». Fred voulait écrire non, mais Tintin lui a fait signe d'accepter. Alors la princesse s'est approchée de la *cam* et elle a commencé à faire des choses avec sa langue, comme la retourner ou lui faire faire des vagues. Le pire est qu'elle avait les dents brunes et paraît que sa langue était incroyablement longue. Tintin m'a dit qu'elle ressemblait à celle d'un weimaraner.

Un quoi ?! Sur le Web, j'ai découvert que le weimaraner est un chien de chasse aux poils gris-bleu. Où Tintin est-il allé chercher ça ?! 🙄

Je vais aller me coucher, il est *full* tard.

Publié le 2 décembre à 20 h 57 par Nam
Humeur : Déçue

> Mon chien est mort (façon de parler)

C'est Papi qui utilise cette expression-là. Je ne sais pas trop d'où ça vient, mais ça veut dire que tous mes espoirs se sont évanouis : je ne peux pas aller au tournoi de hockey de Zac. Pas parce que Mom ne veut pas (de toute façon, je ne lui en ai pas reparlé) mais parce que je dois absolument participer au match d'impro. Sinon, Afro va me scalper. J'ai juste évoqué la possibilité que je sois absente et j'ai vu ses cheveux se défriser.

Je commence un rhume, je pense. Ça court dans l'école. Et vu que Zac en a déjà un…

Ça, c'est poche. Je me demande comment on fait pour embrasser quand on est congestionné. Genre on commence, on compte jusqu'à dix, on se décolle, on expire, on prend une profonde inspiration et on recommence? Ça doit être *full* juteux avec toute la morve. Eurk! Et qu'est-ce qui arrive si on éternue? Genre la bouche de l'autre se gonfle et sa tête explose?

Bon, OK, j'arrête de niaiser. Je n'ai jamais entendu parler de ça.

Ça ne va vraiment pas mieux avec Mart. Avec l'autre Martine, elles ont commencé à m'appeler « Barney ». Quelqu'un qui ne me connaît que par l'impro, je m'en fous, parce que c'est mon surnom. Mais de la part de

Mart, c'est une insulte. Elle sait que je n'aime pas ce nom. Je trouve ça vraiment nul.

Elles m'ont appelée comme ça deux, trois fois aujourd'hui, mais j'ai fait comme si je n'avais rien entendu. Ça m'a quand même blessée. Elles se trouvaient trop drôles.

J'ai parlé de ce blogue à Zac. Il m'a demandé de le lire. Je ne sais pas si je vais lui permettre, c'est supra confidentiel ce que j'ai écrit. Je me suis permis d'aller plus loin ici que dans mon journal intime. Parce que j'avais toujours peur qu'un jour, quelqu'un le lise. Je me disais : mettons que je meure. On trouve mon journal et on le lit. Est-ce que je veux laisser ça comme dernière impression ? Parfois, je faisais de la censure. J'étais trop gentille ou je n'écrivais pas le fond de ma pensée. Tandis qu'ici, je me laisse aller. Vraiment. Je ne cache rien. Si je disparais, personne ne saura que j'ai eu ce blogue. Mes écrits resteront cachés à tout jamais.

Alors, je lui laisse lire ou non ? Si je lui dis non, il pourrait mal le prendre. C'est mon *chum*, on devrait tout se dire, non ? Non, pas nécessairement.

Je vais y penser. Peut-être juste lui donner accès à une partie de mon blogue. On va voir si ça se fait.

Dodo *time*.

Je suis un
poisson rouge
Namxox

Publié le 3 décembre à 19 h 03 par Nam
Humeur : Un peu nerveuse

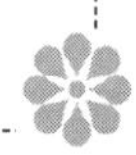

> Je vis dans un bocal

Salut Zac. Je te souhaite la bienvenue sur mon blogue ! Je dois te dire que j'ai hésité avant de te donner mon code d'accès. Pas parce que je ne t'aime pas, non ! T'es vraiment mon amour. C'est juste que ce que j'écris est *full* personnel. J'écris tout ce que je vis, tu comprends ? Des fois c'est anodin, mais d'autres fois c'est plus profond, mettons.

En tout cas, à compter de maintenant, tu peux lire mes pensées les plus intimes. Je sais que je me répète, mais je veux juste que tu saches que si je t'ai donné cette adresse et le mot de passe, c'est parce que je te fais entièrement confiance.

Alors je commence. Tu vas peut-être trouver ça bizarre, mais c'est comme si je m'adressais à mon blogue.

(Je dois me laisser aller, j'ai l'impression qu'on regarde par-dessus mon épaule quand j'écris.)

Allez, allez.

Mom est venue me chercher à l'école pour aller magasiner. J'aime ça quand elle me fait des surprises comme celle-là. Mais je n'avais pas beaucoup d'argent dans mon portefeuille, seulement 32 dollars. De toute façon, je n'ai jamais assez d'argent quand j'entre dans un centre commercial.

Pendant qu'on regardait les souliers, je lui ai dit que je sortais avec Zac. Elle a souri et m'a demandé comment je me sentais. J'ai dit « super bien » et pendant genre dix minutes, je n'ai pas arrêté de parler de lui. Elle m'a écoutée avec un sourire en coin et quand j'ai terminé, elle a juste dit que c'était beau l'amour.

Mom a acheté un nouvel édredon pour son lit. Moi, j'hésitais entre un collier, une nouvelle carte mémoire pour mon lecteur MP3, des nouveaux souliers de course et plein de choses inutiles qui vont se retrouver immanquablement dans le fond de ma garde-robe. J'achète trop souvent des trucs que j'utilise deux ou trois fois, des objets dont je pourrais facilement me passer. Mais tsé, si je dépensais seulement de l'argent pour des choses importantes, ce serait *full* plate. D'ailleurs, je me demande pourquoi c'est si agréable de magasiner. Grand-Papi prétend que c'est parce que les centres commerciaux diffusent une odeur qui force les femmes à dépenser de l'argent. Mom dit que c'est n'importe quoi et je pense qu'elle dit vrai. Grand-Papi est un peu parano, des fois. Mom dit qu'on n'a pas à s'inquiéter de son état, il fait semblant.

Donc je cherchais comment dépenser mon argent parce que l'odeur avait finalement fait effet. Et je me suis dit que ce serait *cool* si j'achetais un cadeau à mon amoureux. Mais je ne voulais pas une cochonnerie, je voulais quelque chose de *hot*. J'étais pas mal découragée jusqu'à ce que je passe devant un kiosque où on vend des t-shirts. Mais pas n'importe lesquels, des t-shirts sur mesure. L'affiche disait qu'il y avait plus d'un million de possibilités. « Un cadeau unique ! »

On commande l'image qu'on veut, ils l'appliquent sur le tissu et apportent des modifications au besoin. Mais là, il y avait vraiment trop de choix. Je capotais. Je me suis dit qu'il fallait quelque chose de *cute*, de romantique. Y'avait des trucs super affreux, comme des bouteilles de bière qui s'embrassaient ou des dessins vulgaires, comme des cochons (et tous les animaux de la ferme) dans des positions honteuses. J'étais pas mal découragée jusqu'à ce que je tombe sur quelque chose qui a du bon sens.

Pendant le dîner, lui et moi on a déconné parce qu'on n'avait rien à faire. On a parlé de l'amour et à quel point c'était bon. Eh puis j'ai dit qu'avec lui, j'avais l'impression d'être un poisson rouge dans un bocal. Genre qu'il n'y a que mon *chum* et moi dans mon univers. Il m'a dit que c'était exactement ce qu'il pensait. Je me suis trouvée brillante (j'aimerais bien que ça m'arrive plus souvent !). Alors j'ai fait faire deux t-shirts avec un poisson rouge dessus. Un pour lui et un pour moi. Sur l'un d'eux, la tête du poisson est du côté cœur. Sur l'autre, de l'autre côté. Comme ça, quand on se mettra côte à côte, on aura l'impression qu'ils s'embrassent. C'est romantique, non ? 😋

Y'a que lui et moi qui allons en comprendre la signification. Je ne l'ai pas dit à Mom, même si elle me l'a demandé.

Bon, Fred a besoin de l'ordi, mais il m'a accordé cinq minutes pour terminer mon histoire.

J'avais comme trop hâte de donner mon cadeau à

Zac. Je trouvais ça poche de devoir patienter. Mom s'en est aperçu et m'a proposé de passer chez Zac. J'ai dit OUI !

C'est sa mère qui a ouvert la porte. Elle n'avait pas l'air trop contente de me voir. Elle m'a dit que Zac était en train de souper. Je lui ai répondu que je n'en avais que pour deux secondes.

Mon *chum* était vraiment étonné de me voir chez lui à cette heure-là ! Je lui ai remis le t-shirt et je suis partie sans rien dire ! Hi ! hi ! hi ! Je ne lui ai pas encore parlé parce qu'il a une pratique de karaté ce soir. J'ai hâte d'avoir sa réaction !

Fred capote, il est en manque de jeux de rôle, je dois lui laisser l'ordi.

[1 commentaire]

****

Chère amour de ma vie,

Je te remercie de ta confiance. Plus je te connais et plus je t'aime.

Ton cadeau est génial. Je vais le porter pendant mon tournoi de hockey en fin de semaine, ça va me porter chance.

Je t'aime tellement que ça me fait mal.

Zac

****

Publié le 4 décembre à 10 h 02 par Nam
Humeur : Lasse

> Je suis un poisson rouge qui s'ennuie

Zac est parti ce matin à son tournoi de hockey. Et là, je capote un peu. Pourquoi? Parce que Martine l'accompagne! C'est Nicole, la mère de Zac, qui l'a invitée. Au moins, elle ne sera pas avec lui dans le camion avec les autres joueurs, mais avec Nicole. Zac n'était pas content de la décision de sa mère. Il se demande vraiment ce qu'elle va faire là. La mère de Zac trouve que Martine fait pitié parce que genre elle n'a pas de famille. J'espère juste qu'elle ne va pas m'écœurer avec ça à l'école lundi matin.

Zac va m'appeler dès son arrivée là-bas. J'ai tellement hâte de lui parler! Et le commentaire qu'il a laissé dans mon blogue... Trop *cute!* Je pensais que c'était encore une de ces stupides pubs.

Le match d'impro de ce soir a lieu dans une autre école. C'est Afro qui va venir me chercher dans sa super coccinelle. Je ne suis pas trop nerveuse pour le match, mais pas mal plus parce que j'ai peur d'entrer dans son auto! Elle fait tellement de bruit que j'ai l'impression qu'elle va exploser d'un instant à l'autre. De toute façon, je ne peux pas faire pire que l'une des dernières fois quand j'ai imité le bébé orang-outan. J'ai vraiment touché le fond, alors la seule chose que je peux faire à présent, c'est de remonter.

Je vais aller faire mes devoirs. Ou peut-être pas. Je vais me mettre du vernis sur les ongles. Ou je vais m'effouarer devant la télé. Je me demande ce que Mart fait en ce moment.

Tiens, je vais compter mes cheveux. Est-ce quelqu'un sait vraiment combien il y en a sur une tête ? Je pourrais être la première à trouver une réponse à cette question !

Publié le 5 décembre à 16 h 45 par Nam
Humeur : Sous le choc

> Je ne comprends pas

OK, là, il vient de se passer quelque chose de terrible. Je ne sais pas quoi écrire.

J'ai le
cœur brisé
Namxox

Publié le 15 décembre à 16 h 45 par Nam
Humeur : Sous le choc

> ***Life is a bitch***

Je ne sais pas trop pourquoi je devrais continuer ce blogue. Je n'ai plus rien d'intéressant à dire après ce qui est arrivé. Mart pense que malgré tout, tu continues à me lire. J'espère qu'elle dit vrai.

Depuis que t'es parti, il ne se passe pas une journée sans que je pleure. Mom m'a dit que je devrais t'écrire, que ça pourrait m'aider à faire passer ma peine. Pour te dire quoi ? Que je m'ennuie ? Que je t'aime ?

Je crois que c'est juste une idée conne et que la vie est injuste.

Bye.

Tu n'as pas
répondu à toutes
mes questions
Namx♡x

Publié le 4 février à 19 h 25 par Nam
Humeur : Pitoyable

> Questionnaire niaiseux

J'ai un blogue, faut bien que je trouve des trucs à mettre dedans. Ça fait quasiment deux mois que je n'ai rien écrit.

J'ai reçu un questionnaire stupide par courriel. Ça ne va sûrement pas t'intéresser. Mais si je ne le remplis pas, paraît que y'a une fille aux longs cheveux, morte depuis longtemps, qui va venir m'étrangler pendant mon sommeil. Est-ce que je peux prendre ce risque ?! Si elle essayait de m'assassiner, au moins, ça me ferait quelque chose à raconter.

1) Quel est le premier mot qui te vient à l'esprit ?
Fenêtre.

2) Quel est le dernier livre que tu as lu ?
Des souris et des hommes, de John Steinbeck, pour la quatrième fois.

3) Quel est le dernier film que tu as vu ?
Un film d'horreur, je ne me rappelle pas le titre, mais je n'ai même pas eu peur.

4) Comment aimerais-tu mourir ?
Habillée.

5) Si tu avais un garçon, comment l'appellerais-tu ? Et une fille ?
Garçon, Hector, fille, Isabella.

6) Ton surnom?

Nam.

7) Quelle heure est-il?

19 h 37.

8) Ce qu'il y a sur ton tapis de souris :

Une souris dans un fromage troué, *full* original.

9) Ton parfum :

Aucun.

10) Ton son favori :

Celui que mon frère fait quand il est sous la douche et que j'ouvre le robinet d'eau chaude.

11) As-tu un tic ou une manie?

Me ronger les ongles. J'avais arrêté, mais j'ai recommencé à cause de ce qui s'est passé en décembre. Je tourne aussi une couette de mes cheveux quand je réfléchis ou quand je suis distraite.

12) As-tu déjà été coupable d'un crime?

Non!

14) Le dessert que tu préfères :

Excluant la réglisse rouge, c'est le gâteau au fromage.

15) Le dessert que tu détestes :

le chocolat, dégueu!

16) As-tu remarqué qu'il n'y a pas de question numéro 13?

Non et je m'en fous.

17) Orage électrique... *Cool* ou effrayant?

Cool quand je suis à l'intérieur.

18) Qu'est-ce qu'il y a sur les murs de ta chambre?

Des affiches et un tableau de liège tout pété.

19) As-tu un tatouage?

Non, j'ai 13 ans.

20) Es-tu droitier, gaucher ou ambidextre?

Gauchère.

21) As-tu déjà pris un bain de minuit ?

À minuit, je fais dodo.

22) Ton animal préféré :

Mon petit chien Youki d'amour, lui me comprend.

23) Ta matière préférée à l'école :

Le français.

24) Celle que tu détestes :

L'éducation physique, je suis poche en tout. Je suis poche même quand je suis assise sur le banc et que je regarde les autres jouer.

25) D'après toi, est-ce qu'on est seuls dans l'univers?

Je n'y ai jamais vraiment pensé.

26) Ce que tu aimes de tes amis :

Leur présence.

27) Ce que tu détestes de tes amis :

Quand je clavarde et qu'ils écrivent en SMS, vraiment poche.

Il y a encore une cinquantaine de questions, j'en ai marre. Tant pis, la fille aux cheveux longs viendra m'étrangler dans la nuit.

Publié le 5 février à 6 h 38 par Nam
Humeur : Cafardeuse

> S. O. S.

Maudit qu'on perd du temps avec des niaiseries sur Internet. À quoi ça m'a servi de remplir ce questionnaire niaiseux ? J'espère au moins que tu l'as lu, je n'aurai pas l'impression d'avoir écrit tout ça pour rien.

Je ne vais pas bien. Je ne mange plus et je n'ai plus le goût d'aller à l'école. Je fais de l'impro sur le pilote automatique, juste parce que si je n'étais pas là, l'équipe ne pourrait pas participer à des tournois. Tous les gens de mon entourage me disent qu'ils comprennent ce que je vis. C'est faux. Personne ne peut comprendre.

Je ne ris plus. Je suis confuse. Je range mes souliers dans le frigo et la margarine dans la garde-robe. Si tu me lis, tu t'es sûrement rendu compte que je n'étais pas dans mon assiette. Dans mon bol non plus.

J'ai l'impression que tout ce que j'écris n'a ni queue ni tête. Ni nombril.

J'écris une phrase sur mon blogue et je l'efface immédiatement parce que c'est trop mauvais. Je trouve que ça n'a pas de sens. Plus rien n'a de sens, en fait. Pourquoi se lever le matin ?

Je ne fais plus mes devoirs. Je n'étudie plus. Mes profs n'osent pas m'en parler. Mes amies m'ennuient.

Quand j'étais petite, je devais avoir 7 ans, je me suis cassé le bras pendant que je jouais au parc. Je n'ai pas beaucoup de souvenirs de l'accident, sauf la douleur incroyable que j'ai ressentie. J'ai eu un flash devant les yeux. Sérieux, ça faisait tellement mal que j'arrivais même pas à pleurer.

Eh bien, la souffrance que je vis présentement, c'est bien pire que mon bras cassé. Parce qu'il n'y a rien à faire. Grand-Papi dit que c'est le temps qui va guérir ma « blessure de cœur ». Je peux avoir une prescription, SVP ? Non, le temps ne se vend pas en pilule.

Je n'arrête pas de me plaindre, je me tape moi-même sur les nerfs. Alors je vais me taire.

Publié le 5 mars à 11 h 51 par Nam
Humeur : Inconsolable

> 90 jours

Trois mois que tu m'as quittée. Au début, je comptais les jours. Puis les semaines. Maintenant, les mois. Un jour, ce sera les années. Mais jamais je ne t'oublierai.

Je ne suis
pas folle

Publié le 6 mars à 17 h 20 par Nam
Humeur : Insultée

> Est-ce vraiment nécessaire ?

Est-ce que tu me lis ? Je ne peux pas croire que là où tu es, il n'y a pas de connexion Internet ! Tu pourrais au moins laisser un commentaire ? Genre me dire que tu me lis et que tu penses à moi ?! Que je ne suis pas la seule à souffrir ? Que tu existes encore, que tu n'es pas disparu dans le néant ?

Ce matin, Fred a dit une niaiserie pendant le déjeuner et je me suis mise à pleurer. Il m'a dit qu'il en avait assez de ma peine d'amour.

J'ai mal, il ne peut pas comprendre à quel point. Il n'est jamais tombé amoureux, lui. En tout cas, pas avec quelqu'un qui existe. Pas avec une VRAIE personne. Et il n'a surtout jamais eu de rupture amoureuse. J'aimerais bien le voir à ma place.

Je me suis réfugiée dans ma chambre pour pouvoir être seule, sans un ortho de seize ans qui me dévisage chaque fois qu'il le peut et qui ne comprend rien à ce que je vis.

Mom est venue me voir dans ma chambre. Elle songe à me faire rencontrer un psychologue.

J'ai mal réagi. Un psychologue ?! Moi !? Il n'en est pas question ! Où a-t-elle trouvé cette idée stupide ? Est-ce que j'ai l'air d'avoir besoin d'un psychologue ?

Mom m'a expliqué que plein de gens consultent. Que les psys sont des gens formés pour aider les personnes qui ont besoin d'aide dans les moments difficiles de leur vie. Que ça restera entre elle et moi. Même Pop ne sera pas mis au courant.

Et si après la première séance je n'aime pas ça, je ne serai pas obligée d'y retourner.

En tout cas.

Je vais y penser.

Réaction d'un spectateur après m'avoir vue danser
Namx♡x

Publié le 8 mars à 19 h 52 par Nam
Humeur : Lasse

> La solution?

Plein de gens me disent que je devrais écrire pour m'exprimer, vu que j'aime ça. C'est ma *best* qui m'a suggéré ça en premier. Ouais, OK, c'est bien beau écrire, mais quoi? Un roman d'horreur qui ressemblerait au cauchemar dans lequel je suis plongée depuis des mois? Ça pourrait s'appeler « Namasté, la morte-vivante ». Ou genre « Namasté, la zombie ». Ou mieux, « Le retour de Namasté les barniques avec bientôt des broches ». Un peu long comme titre, mais c'est *full* épeurant.

Sans *joke*, écrire quoi? Des trucs sur ma vie? Il n'y a rien d'intéressant, vraiment.

Suzie, ma prof de français, m'a dit que j'avais du talent pour l'écriture. Ça fait du bien à entendre parce que je suis nulle partout (sauf en impro où je suis en nomination pour la recrue de l'année — je pense que j'ai décroché cette nomination parce que je fais trop pitié).

Je suis poche en tout. Même avec de la pâte à modeler, je ne suis même pas capable de faire un serpent.

Dans le cours de musique au primaire, quand je jouais du triangle, ça sonnait faux. Je suis la seule capable de cet exploit.

J'ai déjà fait de l'équitation. Le cheval ne voulait pas

que je m'assoie sur son dos (je pense que c'est parce que j'avais l'air trop nounoune avec l'espèce de chapeau de cavalière que je portais, quand il m'a vue, il s'est dit : « *No way*, cette greluche-là n'embarque pas sur moi, y'a des limites à être soumis »).

J'ai pris des cours de ballet jazz. Les gens pensaient que je faisais une crise d'épilepsie quand je dansais. Genre à un moment donné, j'étais sûre que quelqu'un allait se lever et crier : « Y a-t-il un médecin dans la salle ? Il faut aider cette pauvre fille ! ».

En parascolaire, j'ai fait de l'athlétisme. Je trouvais ça facile, le saut en hauteur, jusqu'à ce qu'on m'explique qu'il fallait que je passe *par-dessus* la barre, et non *en dessous*.

Je suis toujours la fille qui reçoit les rubans « Bel effort », « Fait preuve de persévérance » ou « Meilleure chance la prochaine fois ». Mais ça, je pense que je l'ai déjà écrit.

C'est sans compter que je dois porter mes lunettes tout le temps, sinon faut que je marche avec une canne blanche ou un chien guide. Et il y aura bientôt les broches qui pourront m'empêcher d'entrer dans un avion au cas où elles me serviraient d'arme en tant que terroriste.

Écrire... Notre histoire ? Trop courte. Elle ne ferait même pas dix lignes. Et elle finit mal. Peut-être est-ce à cause du t-shirt que je t'ai donné ? Dire que c'était supposé nous porter chance. Pfff... J'ai été conne de penser ça.

Les gens aiment que les histoires d'amour se terminent bien. Genre ils se marièrent et eurent plusieurs enfants. Mais bon, c'est juste dans les contes de fées que ça arrive.

D'ailleurs, je me demande comment tu as fait pour m'aimer. Quand je reviens sur Terre après mes rêveries, je me demande comment une fille comme moi a pu t'intéresser. T'étais beau, intelligent, drôle, moins ortho que les autres, super bon au hockey et en karaté. Impossible !

C'est indescriptible ce que tu m'as fait vivre. *Full* intense. C'était comme si tout d'un coup, je valais quelque chose.

C'est bon de tomber en amour, mais faudrait pas oublier qu'on « tombe » justement. Un moment donné, on touche le sol et ça fait mal. ☹

Fais-moi juste un signe de vie. Juste un. Je t'en supplie.

Publié le 10 mars à 18 h 35 par Nam
Humeur : Intriguée

> **Es-tu là ?**

Je viens de regarder les statistiques de mon blogue et à part moi, il y a une autre personne qui le fréquente tous les jours. Personne ne connaît le mot de passe, sauf toi. Tu es là ? Pourquoi ne me laisses-tu pas un message ? Un seul. Un tout petit. Juste pour que je sache que tu existes encore.

[4 commentaires]

* *

> Anonyme a écrit :

Bonjour, je ne suis pas celui que tu penses. Je suis tombé sur ton site par hasard. Tu n'as pas l'air vieille, mais je trouve que tu écris bien. Continue, j'aime ça te lire.

* *

> Nam a écrit :

J'ai eu un choc en voyant qu'il y avait un commentaire. Qui êtes-vous? Comment êtes-vous tombé sur mon blogue? Il est protégé par un mot de passe.

> Anonyme a écrit :

Je suis un homme de trente-deux ans. Je suis écrivain. Je faisais une recherche dans un engin de recherche et je suis tombé sur ton blogue vraiment par hasard. Et, euh, au sujet du mot de passe, eh bien, j'ai entré le plus niaiseux et ça a marché. Désolé, je n'aurais pas dû.

* *

> Nam a écrit :

D'accord.

* *

Coucou, je sais
que tu es folle

Publié le 11 mars à 10 h 42 par Nam
Humeur : Troublée

> Voyeur

Je n'aurais jamais dû choisir un mot de passe stupide pour mon blogue. Je me disais que c'était tellement niaiseux (c'était 1-2-3-4-5-6) que PERSONNE n'allait y penser. Le message que j'ai reçu hier d'un inconnu m'a prouvé le contraire. J'ai eu l'impression qu'on entrait dans mon intimité. Comme si on m'avait surprise avec un doigt dans le nez. Ou en train de me crever un bouton. Comment il a fait pour me trouver? Il a inscrit les mots « ballet jazz », « Barney » et « folle » dans Google?

Je suis allée dans le panneau de contrôle et j'ai tout de suite changé mon mot de passe. J'ai mis quelque chose de *full* compliqué avec des chiffres, des lettres et des caractères spéciaux. Il a dix-huit caractères! Mais ça veut dire que Zac ne pourra plus me lire s'il le désire...

Il y a quelqu'un, quelque part, qui sait que je vais aller voir un psy et qui connaît mes états d'âme, mes histoires d'amour et tout le reste. C'est inquiétant.

En me couchant hier, j'ai pensé à ce qui se serait passé si quelqu'un de la poly avait lu ce que j'ai écrit. Je ne sais pas comment je ferais pour retourner à l'école. La honte. Déjà que j'ai l'impression qu'on me regarde drôlement dans les corridors depuis que tu m'as quittée. Un peu plus et on me pointerait du doigt en criant : « C'est elle ! ».

Je suis comme une bête de cirque. Même si je portais mon costume de mascotte, je n'attirerais pas autant l'attention. La personne qui aurait lu ce que j'ai écrit l'aurait copié, puis collé dans un courriel que toute l'école aurait lu en moins de vingt-quatre heures. Ça aurait été comme si j'étais arrivée à l'école nue. Je pense que j'ai frôlé la catastrophe.

Je ne sais plus trop si je veux continuer à écrire sur ce blogue. Est-ce vraiment utile ? Je veux écrire, mais je veux que ce soit intéressant. Je me suis relue un peu et je me lamente sans cesse. C'est pénible. Est-ce que je vais rester dans cet état toute ma vie ?! Je n'ai que 13 ans !

Dans deux dodos, c'est mon anniversaire. Habituellement, je suis *full* excitée deux mois à l'avance. Genre je fais un décompte et j'écœure mes parents tous les jours.

Mais là, ça ne me fait absolument rien. Dire que c'était supposé être mon année chanceuse... Pffff. N'importe quoi. Je n'ose imaginer ce que ce sera dans le futur. Je vais être la fille la plus malchanceuse du monde.

C'est mon rendez-vous chez la psy ce soir. Je suis nerveuse, je ne sais pas trop ce que je vais lui raconter. Et si je n'avais rien à lui dire ? Ça coûte super cher, en plus. Genre 75 $ de l'heure. J'ai dit à Mom qu'elle pourrait me les donner et que je pourrais me « guérir » en allant magasiner. Ça serait une super thérapie, ça.

C'est bizarre cette idée d'aller raconter à quelqu'un qu'on ne connaît pas des choses *full* intimes. Je ne suis pas trop à l'aise, tsé, elle va peut-être raconter tout ce que je lui dis à son mari ou à ses amis ? Pire, elle va peut-être créer un blogue sur moi ! Mom m'a dit qu'elle avait l'obligation de garder pour elle ce que je vais lui dire. Pas grave, y'a un risque quand même.

Mom m'a dit qu'elle allait rester avec moi si j'en avais besoin.

Je t'en redonne des nouvelles.

La lumière au
bout du tunnel?
Namx♡x

Publié le 12 mars à 10 h 42 par Nam
Humeur : Soulagée

> **Moins pire que prévu**

Elle s'appelle Madeleine et elle est vraiment *cool.* Faut dire que je m'attendais au pire. Dans mes délires, je voyais Mom me conduire dans un hôpital psychiatrique où on allait me passer la camisole de force et me faire avaler des pilules grosses comme ça. Je suis ridicule quand je le veux. Ça arrive trop souvent à mon goût.

Madeleine travaille chez elle, son bureau est dans son sous-sol. Quand je suis entrée, ça sentait la vanille. Mais pas un arôme artificiel comme les affaires qu'on branche dans le mur et qui donnent le cancer. C'était comme lorsqu'on fait cuire des gâteaux à la vanille et que l'odeur se répand partout. Je ne sais pas pourquoi, mais ça m'a mise en confiance.

Elle est toute petite et a les cheveux blancs. Elle porte des lunettes et sa voix est douce. Quand elle m'a demandé comment j'allais, je suis partie à pleurer. Je n'ai pas été capable d'arrêter pendant au moins dix minutes. Elle s'est approchée de moi. Elle a pris ma main et l'a mise dans la sienne. Sa peau était chaude et douce.

J'ai dit à Mom que je voulais être seule avec elle et je lui ai tout raconté ce qui s'était passé.

Que je te connaissais depuis toujours.

Qu'il y a eu des moments où tu agissais comme un ortho, mais bon, ça s'est réglé quand tu es devenu une Réglisse rouge et que t'as pété la gueule au grand Sébastien.

Que Mart est sortie avec toi et que ça m'a rendue jalouse.

Que je me suis rendu compte finalement que j'étais amoureuse de toi.

Que je ne croyais jamais que je t'intéresserais jusqu'à ce que je découvre que les messages anonymes venaient de toi.

Qu'on est sortis ensemble pendant moins d'un mois.

Que t'as été le premier gars que j'ai *frenché*.

Que je n'arrêtais pas de penser à toi. Genre vraiment obsédée.

Que j'avais écrit ton nom partout: sur mon étui à crayons, sur mes souliers de course, sur ma peau avec un stylo mais surtout, sur mon cœur.Avec de l'encre qui ne s'effacera jamais.

Que tu me trouvais la plus belle et que je le ressentais vraiment.

Qu'on se comparait à deux poissons rouges dans un bocal.

Que dans nos délires, on avait même parlé de mariage.

Et puis j'ai parlé de l'accident.

Je devais t'accompagner à ton tournoi de hockey, mais j'avais un match d'impro.

Tu m'as dit que t'allais porter le t-shirt que je t'avais acheté. Il allait te porter chance.

Tu devais m'appeler en revenant du tournoi. Et tu l'as fait dans le camion, sur le chemin du retour.

On parlait au téléphone quand c'est arrivé.

Ton père avait accepté de te prêter son cellulaire à condition qu'on ne parle pas plus de dix minutes.

Tu m'as raconté que t'avais fait un tour du chapeau, mais que, malgré ça, vous aviez perdu. Tes trois buts, tu t'en foutais, tu pensais plus à la défaite. T'étais déprimé.

Moi, je t'écoutais. J'allais te dire que ce n'était pas la fin du monde, que t'allais pouvoir te reprendre l'année prochaine. Que t'avais fait ton possible. Les trois seuls buts de ton équipe, ce n'est pas rien ! C'était sûrement à cause du poisson rouge sur le t-shirt.

Ensuite, j'ai entendu des bruits de frein, un cri, puis d'autres cris encore. Les tiens, peut-être, j'aime autant ne pas y penser.

La ligne a été coupée. Je t'ai rappelé immédiatement, mais ça sonnait occupé. J'ai appelé chez toi. L'appel a été transféré sur le cellulaire de ta mère. Elle a répondu, elle était en route, disant qu'elle était partie avant vous, tôt le matin, qu'elle était presque arrivée à la maison. Je lui ai parlé des bruits, de la ligne coupée, de mes appels inutiles… Elle a tenté de joindre ton père, qui conduisait le camion. Pas de réponse.

Il y a eu l'inquiétude. Les coups de téléphone. Je suis allée retrouver Grand-Papi. Je voulais l'entendre me dire : « tout va bien aller ». Il l'a fait, mais j'ai vu dans ses yeux qu'il n'y croyait pas vraiment. Je me suis dit que c'était peut-être ton ami Charles qui t'avait joué un autre de ses vilains tours. Comme la fois où il avait mis de la Vaseline dans ta casquette. Mais dans ce cas, pourquoi ne me rappelais-tu pas ?

J'ai laissé un message sur mon blogue, pour faire passer le temps. Puis ta mère a appelé. Elle avait du mal à parler.

Si j'avais été là, avec toi, est-ce qu'on serait restés ensemble, main dans la main, comme lorsqu'on prenait l'autobus pour se rendre à la poly ?

J'ai vécu le reste comme un zombie. T'es resté quelques heures dans le coma. Je ne suis pas allée te voir, l'hôpital était trop loin. Même si Grand-Papi était prêt à m'accompagner. Je me disais que tu utilisais le coma pour te refaire des forces et que tu allais revenir bientôt. Ce que je ne savais pas, c'était qu'on te gardait vivant afin de pouvoir prélever tes organes. Tu étais déjà mort. Il n'y avait plus d'activité dans ton cerveau.

Je n'ai pas voulu aller au salon funéraire, mais Mom a insisté. Selon elle, il fallait que je te voie mort pour « entreprendre le processus de deuil ».

J'avais tellement peur ! Je tremblais. Quand je suis entrée dans le salon, tout le monde s'est tourné vers moi. Tout le monde savait que l'accident était survenu au moment où on se parlait au téléphone. Quatre autres cercueils étaient alignés non loin du tien, quatre autres joueurs de ton équipe avaient subi le même sort.

Lorsque je t'ai vu, je ne t'ai pas reconnu. On t'avait trop maquillé et tes cheveux étaient bizarres, peignés sur le côté comme notre prof de morale.

Je n'ai pas pleuré. Ce n'était pas toi, c'était trop surréel. Je me disais : ça ne peut pas être mon *chum* dans le cercueil. On ne meurt pas à 13 ans. Ça devrait être interdit.

Il y a eu les funérailles avec tes autres camarades. Ton père était sorti de l'hôpital pour y assister. J'ai entendu dire qu'il allait être correct. Il y avait des caméras de télévision. Fred m'a vue aux nouvelles.

On t'a enterré avec ton équipement de hockey. Juste avant qu'on jette la première pelletée de terre, j'ai lancé dans la fosse une photo de moi ainsi que mon t-shirt. Le tien, celui que tu portais, je ne sais pas ce qu'ils en ont fait. Je n'ai pas osé poser la question à ta mère.

Il y a eu un goûter après, dans le sous-sol de l'église. Il y avait des chocolats avec le logo du salon funéraire. Dégueu ! J'ai failli vomir. 😕

Tes parents avaient l'air soulagés que ce soit fini. Comment faisaient-ils ? Ça ne faisait que commencer !

Il y a eu le retour à la poly. Tout le monde marchait sur des œufs. Personne n'osait me parler, on était incapable de me regarder dans les yeux. J'ai manqué plus d'un mois. J'ai coulé *full* examens. Mais j'ai continué à faire de l'impro. Tous les élèves des écoles qui nous affrontaient et tous les spectateurs qui assistaient aux matchs savaient que j'étais la fille-qui-avait-perdu-son-*chum*-dans-un-accident-d'auto-pendant-qu'elle-lui-parlait-au-téléphone.

Mart est redevenue ma meilleure amie. Parce que l'autre Martine a commencé à se vanter qu'elle avait été la dernière à te voir. Que tu l'avais embrassée et que tu lui avais dit qu'en revenant du tournoi, t'allais me laisser pour elle. Elle a dit à tout le monde que mes réactions étaient exagérées. Elle voulait avoir tous les regards sur elle. Elle voulait être le centre de l'attraction. Le contraire est arrivé. Plus personne ne veut lui parler.

Il y a eu aussi Antoine et son comportement bizarre. Dès mon retour à l'école, il a commencé à me *cruiser* d'aplomb. Comme si tu n'avais jamais existé. Vraiment pas subtil. C'était trop tôt ! Je l'ai reviré de bord assez rapidement. Il continue toujours à vouloir que je devienne sa blonde. Il se fait des idées. De toute façon, je ne pense pas que je pourrai un jour avoir un autre *chum*.

On va bientôt déménager. Je trouve que c'est une bonne idée, dans le fond.

Je continue à écrire sur ce blogue. Je me dis que tu vas peut-être m'envoyer un signe. Peut-être. Quand je me couche, je m'imagine souvent y trouver un message de toi, pas d'un inconnu trentenaire voyeur. Ça m'aiderait grandement à m'endormir.

Mart et moi, un soir, on a joué au Ouija et on a essayé d'entrer en contact avec toi. Il y a eu plein de bruits bizarres dans la maison et on a vu Tintin arriver en jupe de laine et nous demander si on savait où était la porte d'entrée pour la quatrième dimension, mais aucun signe de toi.

Madeleine m'a écoutée attentivement. Elle a dit que c'était tout à fait normal que je me sente mal. Que j'avais vécu un choc terrible. Que j'ai besoin d'aide, parce que même pour un adulte, un pareil accident est très traumatisant.

En sortant de là, je me sentais déjà mieux. J'ai accepté de la rencontrer deux fois par semaine.

Entre temps, eh bien, je vais cesser d'écrire ici. J'ai besoin de me reposer. Est-ce que je vais fermer ce blogue ? Est-ce que je vais recommencer ? Je ne sais pas. Je ne sais plus rien. Je suis mélangée. Je suis fatiguée.

Je t'aime tellement, Zac. Si tu savais.

Le tatouage du
déménageur était
vraiment laid
Namx♡x

Publié le 1er juillet à 15 h 32 par Nam
Humeur : Occupée

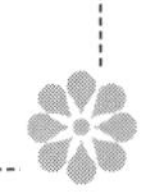

> **Les débuts du nouveau commencement**

Par où commencer? « Par le commencement », me dirait Grand-Papi. Mais il y a comme trop de commencements! J'ai tellement de choses à dire. Je vais commencer par la première qui me vient en tête. 😊

J'ai harcelé Pop pour qu'il installe l'ordinateur parce que j'avais super hâte d'écrire. Il était dans une boîte sous des millions d'autres boîtes. Je pense qu'il l'a cherché pendant une heure.

Il se sent *full* coupable de faire déménager la famille, alors il fait tout ce qu'on veut sans rouspéter. Ce n'est vraiment pas le Pop que je connais, mais bon, j'en profite.

Je l'ai aidé avec les fils de l'ordi parce qu'il est tellement nul en informatique que j'ai peur même quand il essaie de brancher le micro-ondes!

On est arrivés avant-hier. Je pense. Attends que je me rappelle… Ouais, c'est ça, avant-hier.

Le voyage s'est bien passé, même si Fred n'arrêtait pas de péter en essayant de faire passer ça sur mon dos. J'ai commencé à m'énerver, il a dit que c'était mon Youki d'amour. Ce chien-là, je dors avec et il n'a jamais fait un son. Il est tellement ortho quand il veut, mon frère!

Comment c'est, la nouvelle maison ? Moyen. Comme sur les photos. Moche.

Il pleuvait, c'était effrayant. Grand-Papi a dit que c'était comme « vache qui pisse ».

Ha ! ha ! Je trouve ça drôle chaque fois qu'il sort cette expression.

Le camion de déménagement est arrivé avec deux heures de retard parce qu'il a eu une crevaison. Et comme si ce n'était pas assez, les déménageurs ont échappé la télé en la mettant dans le camion. Ils pensaient que personne ne les avait vus, mais Pop les avait à l'œil. Ils ont dit qu'ils avaient des assurances.

Ah oui, un des déménageurs avait un tatou sur l'avant-bras vraiment affreux. Genre une espèce de sirène avec des gros seins !? Mais pas comme Ariel dans *La Petite sirène*, une sirène avec une tête de mort. Fred est allé dire au gars que je le trouvais beau ! Mom l'a chicané, mais il n'arrêtait pas de rire.

Ils ont fini de vider le camion à minuit. Et la télé est vraiment hors d'usage. On va en avoir une nouvelle. Fred est content, il veut un super gros truc à écran plat où il va pouvoir jouer au *Play*. Pop a dit qu'on allait en reparler. Moi, je m'en fous parce que je ne regarde presque jamais la télé.

L'intérieur de la maison ? Bof. Laide. De toute façon, sur une base militaire, il n'y en a pas une de belle. Toutes pareilles, toutes les mêmes couleurs avec un petit terrain.

On a rencontré notre voisin. Un militaire comme Pop, évidemment. Il est venu nous aider. Super fin, il n'était pas obligé. Il m'a dit qu'il avait une fille du même âge que moi, 13 ans. Bon, j'ai 14 ans, mais je ne l'ai pas repris parce que ça ne me tentait pas. Il pense qu'on va bien s'entendre elle et moi. Peut-être qu'elle pourrait devenir ma nouvelle *best?*

OK, là, je dois te laisser parce que Fred a besoin de l'ordi. Je lui ai dit que j'allais l'utiliser vingt minutes max, ça fait déjà presque une heure. Il veut aller jouer sur un de ses stupides jeux en ligne.

Il tire les tresses que je me suis faites, j'haïs ça quand il fait ça et en plus il lit par-dessus mon épaule.

Publié le 1er juillet à 16 h 26 par Nam
Humeur : En expansion (n'importe quoi !)

> J'ai beaucoup changé

Fred est super *fru* parce que la connexion Internet est lente. Il n'a pas trop protesté quand Mom et Pop nous ont annoncé qu'on allait déménager, mais ça va sûrement changer. Il cache souvent ses émotions, mais quand on attaque ses jeux vidéo, il peut devenir violent et faire un carnage. OK, j'exagère. Il est plus sensible, mettons. Là, c'était tellement lent qu'il a donné un coup de poing sur le clavier. Heureusement, il ne l'a pas brisé. Y'a juste la touche « G » qui a été projetée dans les airs. Pop l'a vu faire et il l'a engueulé. Fred a dit que si la connexion Internet restait comme ça, il allait partir. Pour aller où ?! C'est mon frère, ça. Depuis quelques semaines, il pète les plombs des fois.

Donc j'ai l'ordi à moi toute seule !

Je viens de relire ce que j'ai écrit depuis le début de ce blogue. Ouf ! J'en ai vécu des trucs pendant ma première année au secondaire ! Et quand Zac est mort, ça n'allait pas fort fort. Je peux dire maintenant que j'ai vécu des moments difficiles. Mais cette expérience est derrière moi. Non, je me reprends : cette expérience fait « partie de moi ». Elle n'agit pas « contre moi ». C'est Madeleine, ma psy, qui m'a aidée à accepter ce qui s'est passé. Cette Madeleine, je l'adore ! Pendant douze semaines, deux fois par semaine, elle m'a reçue dans son sous-sol.

On ne parlait pas toujours de Zac. Juste des fois. D'autres fois, je lui racontais mes journées à la poly. Ou mes rêves. Ou mes histoires avec mes amies. Je ne sais pas comment elle a fait, mais elle m'a permis de redevenir heureuse. Dommage qu'elle soit maintenant trop loin pour que je retourne la voir. Mais elle m'a donné son adresse courriel. On va s'écrire.

Avec ce que j'ai vécu, rencontrer un chat noir, passer sous une échelle, casser un miroir, avoir le chiffre 13 collé sur le dos, ouvrir un parapluie dans une maison, tout cela serait moins pire que de me croiser dans la rue. J'ai la malchance écrite dans le front. Genre à l'Halloween, au milieu des masques montrant des loups-garous et des vampires, il y en aurait un qui me représenterait avec mes lunettes et mes (futures) broches.

Pendant un bout de temps, j'ai fait comme si je parlais à Zac sur ce blogue. Comme si je m'adressais à lui. Au début, je ne voulais pas en parler à Madeleine, parce que j'avais peur de sa réaction. Mais au bout du compte, je l'ai fait et elle a trouvé que c'était une bonne idée.

Je sais qu'il est mort. Je sais que le paradis n'est pas encore branché sur Internet, donc impossible pour lui de m'envoyer de message. Mais lui écrire m'a fait du bien. Et ça n'a fait de mal à personne. Quand je lui écrivais, je me sentais moins seule. Comme si j'étais à côté de lui et qu'on dizcutait.

Bon, y'a une autre touche qui vient de zauter (argh ! c'ezt le z, je veux dire la lettre qui commence le mot zexe). Je vaiz ezzayer de la réparer.

Mon futur lit
Namx♡x

Publié le 2 juillet à 7 h 03 par Nam
Humeur : Reposée

> **La suite du commencement**

Ah ! Quelqu'un a réparé le clavier. Génial !

Je me suis levée super tôt ce matin. Il est 7 h et j'ai déjà déjeuné, je me suis brossé les dents et je suis habillée. Fred, lui, ne se réveille jamais avant 11 h, sans compter qu'il niaise une heure dans son lit après avoir ouvert les yeux. Super, j'ai l'ordi à moi toute la matinée. Il s'obstine à jouer à des jeux en ligne et avec la connexion Internet qu'on a, ça l'enrage chaque fois.

(Hier, il a déjeuné en mangeant des beignes et en buvant du Coke. Dégueulasse ! Comment il fait pour continuer de grandir en se nourrissant comme ça ?!)

La nuit dernière, c'était la dernière fois que je dormais sur le plancher (sur mon matelas, quand même !). C'est aujourd'hui qu'on reçoit mon nouveau lit. J'ai *full* hâte. Sérieux, c'est un lit à baldaquin ! Un lit comme on en voit dans les films de princesse, c'est exactement ce que Mom m'a acheté. Je n'en croyais pas mes oreilles quand elle m'a dit oui. Ça faisait longtemps que j'en voulais un. 🙂

Ça va de mieux en mieux entre elle et moi. On a passé une dure période. À un moment donné, je me suis révoltée, je ne voulais plus rien savoir du déménagement, même si je lui avais dit que c'était une bonne idée. Je voulais rester là-bas et aller vivre chez une de mes tantes. Est-ce qu'elle sait ce que c'est que de se faire des nouvelles amies dans une nouvelle ville ? Et en plus, je m'en vais en secondaire 2. Je ne vais connaître personne.

Mart, ma *best*, a pleuré quand je lui ai annoncé que je m'en allais. Je ne l'avais jamais vue dans cet état. On se connaît depuis tellement longtemps. On va pouvoir s'écrire, c'est sûr. On va pouvoir se voir sur notre *cam* aussi. Se téléphoner. Mais ce n'est pas pareil. Ça me fait de la peine de penser que quelqu'un va prendre ma place.

J'étais vraiment en colère. J'ai brisé la porte de ma chambre en la refermant trop fort ! Quand Mom me disait qu'on n'avait pas le choix, je lui rappelais ce qu'elle me répétait tout le temps : on a toujours le choix dans la vie ! Elle vient de me prouver le contraire.

Elle prétendait être triste elle aussi. Mais je pensais que c'était pour m'amadouer. J'ai changé d'idée : je l'ai vue verser des larmes quand on a refermé la porte de notre ancienne maison. C'était dur pour tout le monde, finalement. Même pour Pop qui ne veut jamais rien laisser paraître.

Mom vient de se lever et elle m'a demandé si j'étais prête à aller magasiner la peinture pour ma chambre. Yé ! Je me reconnecte plus tard.

Publié le 2 juillet à 16 h 46 par Nam
Humeur : Confuse

> Trop de choix

Mes bras me font mal ! J'ai passé l'après-midi à repeindre les murs de ma nouvelle chambre. J'étais chargée de faire le découpage, Pop faisait le plafond et les murs et Mom la garde-robe. Et Grand-Papi critiquait notre travail. Pour faire changement !

Mais avant, Mom et moi sommes allées acheter la peinture. Quelle aventure ! Ma chambre, je la voulais mauve, pour aller avec mon nouvel édredon. C'est simple, non ? Non ! Des mauves, il y en a des centaines. Et ils ont tous des noms : Orchidée du matin, Tendre lavande, Lilas détrempé, Jacinthe mystique, Pétale fané et ainsi de suite. Lequel choisir ? Il a fallu retourner à la maison et en revenir avec une taie d'oreiller pour être sûres de choisir la bonne couleur. Et même avec, ce n'était pas évident. Ça dépendait de la lumière. Bref, on a passé genre une heure à essayer de trouver le bon ton.

C'était la première fois que je repeignais ma chambre et je n'ai pas haï ça, même si c'est pas mal salissant. Au début, tu fais attention pour ne pas t'en mettre sur les doigts. Une demi-heure plus tard, tu en as partout ! Pop a mis le pied dans le bac à rouleau. Il n'était pas content.

On avait enfermé Youki dans la salle de bains pour l'empêcher de se salir. Mais il a réussi à sortir et a mis son nez dans un des pots de peinture. Je l'ai attrapé, sauf que j'avais les mains collantes. Même s'il déteste ça, il va falloir lui donner un bain quand tout va être terminé. 

Mon frère s'est finalement levé à 2 h de l'après-midi. C'est Grand-Papi qui l'a réveillé avec le bout d'un balai. Fred a bouffé une boîte de céréales au complet avant de se planter devant l'ordi. Mom dit que dans six mois, si elle n'intervient pas, aucune des boîtes de déménagement ne va être ouverte.

On sonne à la porte. Je crois que c'est mon lit ! Oui, il y a un camion devant la maison, on en sort une grosse boîte. Je suis excitée !

Me semble que
je vais dormir
là-dedans
Namx♡x

Publié le 2 juillet à 19 h 04 par Nam
Humeur : Supra déçue

> Est-ce que c'est juste à moi que ça arrive?

Je vais devoir dormir sur le plancher encore longtemps.

On a effectivement livré un gros paquet. Il était à mon nom, j'étais sûre que c'était mon lit à baldaquin. Parce qu'il était bientôt l'heure de souper, Pop m'a dit qu'on allait le monter après. J'avais tellement hâte que je n'ai presque pas mangé.

Enfin, Pop a ouvert la boîte. C'était bien un lit, mais pas celui que j'attendais. On a découvert une espèce de camion de pompier. Un truc pour les garçons de 6 ans. Décevant ! Fred a dit que je devrais y visser des roues et le garder pour faire le tour du quartier au lieu d'utiliser ma bicyclette. Très drôle.

Mom a appelé au service à la clientèle du magasin et on lui a répondu que ça allait prendre un mois avant qu'on me livre mon lit. Un mois !

Je vais aller lire pour me changer les idées.

Publié le 3 juillet à 8 h 23 par Nam
Humeur : Encore déçue

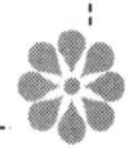

> Mauvaise nuit

J'ai mal dormi. Il fait chaud et nos quatre ventilateurs sont au sous-sol, en train de sécher les murs fraîchement repeints.

Je me suis réveillée cette nuit et je pensais que j'étais encore dans notre autre maison. J'étais perdue, je ne reconnaissais pas les lieux. Une chance que Youki était avec moi. Je l'ai serré très fort dans mes bras. Il n'a pas aimé ça, il est allé dormir ailleurs.

Je venais de rêver que je me promenais dans les rues de notre nouvelle ville avec le lit en camion de pompier. J'avais un chapeau rouge et les gens me pointaient du doigt en riant. Pourtant, ce n'était pas un cauchemar, le camion de pompier, je le trouvais *cool*. Je faisais des bruits de sirène avec ma bouche et je trouvais ça beau.

Youki aussi est un peu perdu. Des fois, il pousse des couinements sans raison. Il est comme moi, il s'ennuie de son ancien environnement. Il va avoir dix ans cette année et il n'a connu aucune autre maison. Est-ce qu'il va pouvoir s'habituer ici ?

Hier soir, pendant le souper, Grand-Papi a dit qu'il se pourrait que Youki fasse une dépression. Il va falloir lui donner des pilules. Il a déjà vu un chien devenir fou après avoir déménagé. Genre il faisait ses besoins partout, mordait tout le monde et marchait à reculons. Mom lui a dit qu'il exagérait, mais Grand-Papi est plus vieux qu'elle, il connaît plus de choses. Je sais qu'il a tendance à trop en mettre, mais il avait l'air sérieux. Est-ce que c'était une autre de ses blagues bizarres ?

Je vais donner plein d'amour à Youki. Je crois que c'est ça la solution.

Ma chambre est mauve, sauf à quelques endroits. Je vais faire des retouches. Après, je veux vider toutes mes boîtes parce que ça commence à être déprimant.

Pour Youki,
entre un poulet
et l'amour d'une
famille, le choix
est simple
Namx♡x

Publié le 3 juillet à 20 h 02 par Nam
Humeur : Soulagée

> On l'a retrouvé !

Youki avait disparu ! On a passé la journée à le chercher. D'habitude, il est toujours avec Mom, mais pas ce matin. Elle s'est dit qu'il devait s'être trouvé un trou entre deux boîtes pour dormir.

À midi, il n'est pas venu manger. Mom a su que quelque chose n'allait pas. Elle n'a pas voulu m'inquiéter, elle ne m'en a pas parlé. Elle l'a cherché. Sans succès. Elle m'a alors demandé de l'aider. Après avoir fait le tour de la maison, j'ai aperçu un trou dans la moustiquaire de la cuisine. C'est par là qu'il est sorti.

Grand-Papi a dit que c'était peine perdue, qu'il s'était enfui pour mourir en paix. Grand-Papi !

Quand on a commencé à le chercher, les voisins ont vu ce qu'on faisait et ils sont venus nous aider. Je crois qu'à la fin, on était une vingtaine à chercher Youki. Nos anciens voisins n'auraient jamais fait ça pour nous. Même si j'avais été frappée par une auto, et que ma tête s'était mise à rouler sur l'asphalte, ils auraient continué à tondre leur pelouse comme si de rien n'était. Non, ils auraient plutôt appelé la ville pour se plaindre des touffes de cheveux traînant dans la rue.

C'est un petit gars qui a retrouvé Youki, finalement. Il était en dessous d'une galerie, à deux maisons de la nôtre, en train de ronger les restes d'un poulet sans doute trouvé dans une poubelle (Youki, pas le petit gars !).

Il nous entendait l'appeler, mais il a préféré continuer à gruger ses os. Nunuche. On a eu peur de le perdre pour de bon ! Ça fait la troisième fois en un an qu'il se sauve. Il est capable de donner la patte, d'aller chercher une balle, de faire le beau, mais il ne peut pas comprendre qu'il nous inquiète quand il s'enfuit ?

Quand on est rentrés, Grand-Papi était en train de clouer deux morceaux de bois ensemble pour faire une croix et la planter là où on l'aurait enterré. Quand il a vu le chien, il a dit qu'il n'avait pas travaillé pour rien parce qu'on allait pouvoir la récupérer quand lui allait mourir. Grand-Papi et son humour noir !

Pop a réparé la moustiquaire.

Avec tout ça, je n'ai pas ouvert une seule de mes boîtes et je n'ai pas fait mes retouches. Ce sera demain matin parce que pour l'instant, je suis morte.

J'ai les jambes
comme celles
d'une mygale
Namxox

Publié le 5 juillet à 10 h 01 par Nam
Humeur : Poilue (Hi! hi! hi!)

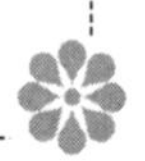

> C'est aujourd'hui que je termine ma chambre

Je me suis rendu compte que j'aimais vraiment écrire. Avant de commencer à taper sur le clavier, je suis excitée. Puis, quand j'écris, c'est comme si rien n'existait plus autour de moi. Je mets mes écouteurs de MP3 sur mes oreilles, j'appuis sur *Play* (« jouer » en français?) et je commence à pianoter. Comme si mes doigts jouaient une symphonie sur le clavier, mais en mots. C'est relaxant et honnêtement, je me trouve pas mal bonne.

Je me suis relue et je ne me reconnais pas vraiment. Avec tout le monde, je suis assez secrète. Mais ici, je me laisse aller. C'est comme si je n'avais pas peur de dévoiler le fond de ma pensée. Parce que ce blogue est secret, j'ai l'impression d'être totalement libre. Ça me fait du bien. Je n'ai pas peur du jugement des autres. C'est *full* libérateur. Faut dire que Madeleine m'a beaucoup aidée à mettre des mots sur ce que j'ai vécu.

J'ai appelé ma *best* deux fois au cours des derniers jours, elle n'était pas là et ne m'a pas rappelée. Je lui ai envoyé un courriel aussi. Ce n'est pas normal, Mart est toujours branchée. J'espère qu'elle n'est pas fâchée contre moi. Ou pire, qu'elle m'a déjà oubliée ! Je panique sûrement pour rien, mais je ne peux pas m'empêcher de *paranoïer*.

Hier soir, j'étais triste. Je pensais au premier baiser que j'ai échangé avec Zac. Ça m'a pris du temps à m'endormir, j'essayais de me remémorer toutes les sensations. Et puis, à un moment donné, je me suis mise à pleurer. Madeleine m'a dit que c'était normal et que je devais me laisser aller. Paraît que plus le temps va passer, moins j'aurai besoin de pleurer. Et plus je vais vieillir, plus l'image de Zac va s'estomper et devenir diffuse, comme un rêve. Au début, je ne voulais pas que ça arrive. Mais Madeleine a eu raison : j'ai de plus en plus de mal à me souvenir de son visage. Il me faut une photo pour me rappeler les détails de ses traits.

La fuite de Youki a eu du bon. On connaît maintenant tous nos voisins. Hier soir, une dame est venue nous porter une tarte au sucre (Fred en a déjà mangé la moitié). Son mari est ingénieur à la base militaire. Ils nous ont invités à nous baigner dans leur piscine. S'il continue à faire chaud comme ça, je ne dirai pas non !

Même si j'ai pleuré avant, j'ai bien dormi la nuit dernière. Je m'habitue, je pense. Je me suis réveillée et j'avais les fesses de Youki dans le visage. Ark ! J'haïs ça.

Voici les cinq choses que je dois absolument faire aujourd'hui :

1- Faire les retouches de peinture.

2- Vider mes boîtes.

3- Remplir ma garde-robe.

4- Poser mes rideaux.

5- M'épiler les jambes et le bikini (j'ai l'air d'un mammouth !).

Je me demande si le maillot de bain de l'année dernière me va encore. Peu importe, je vais dire à Mom qu'il est trop petit. J'en veux un autre ! 🙂

J'adore me baigner, mais j'hésite. J'ai des vergetures sur les hanches et sur les cuisses et c'est *full* laid. J'ai vu sur le Net qu'on vendait des crèmes (supra chères !) censées les faire disparaître. Mom dit que ça ne sert à rien, que ça ne fonctionne pas. Elle aussi en a eu quand elle était ado. C'est parce que j'ai grandi trop vite. Paraît qu'avec le temps, elles vont disparaître. J'espère ! Sinon je ne vais plus jamais pouvoir me baigner. Allez, au boulot !

[1 commentaire]

****

Vous avez 40 ans et semblez en avoir 75? Vous êtes ridée et cernée? On vous propose un rabais âge d'or alors que vous êtes à trente ans de la retraite? Nous avons la solution : la crème révolutionnaire Lisse3000. Dès la première application, vous sentirez agir l'ingrédient révolutionnaire hoxycultyrolutrique. Les rides ne seront plus que des mauvais souvenirs !

www.onfaitfondrelesrides.com

****

Publié le 5 juillet à 21 h 12 par Nam
Humeur : Ravie

> Au chalet!

Youppi! Je m'en vais au chalet seule avec Grand-Papi! C'est lui qui me l'a annoncé tantôt. ☺

Mom et Pop se sont encore disputés pour une niaiserie. Grand-Papi pense qu'ils sont fatigués et qu'ils ont besoin d'un répit. Alors il m'amène avec lui. Il a demandé à Fred s'il voulait venir, mais vu que là-bas, il n'y a ni téléphone ni Internet, il ne veut rien savoir. Il y a une télé, mais elle est en noir et blanc et c'est un cintre qui sert d'antenne. La dernière fois, on captait genre deux postes et demi si on arrêtait de respirer.

Je vais apporter plein de livres et je vais en profiter pour commencer un projet : l'écriture de mon premier roman! J'ai quelques sujets en tête, mais je ne sais pas trop lequel choisir. Une chose est sûre : ça va être de l'horreur. J'aime ça avoir peur ! Au moins, ma relation avec Antoine m'aura servi à ça : développer ce goût-là.

Papi et moi, on va pêcher aussi. Quand il attrape un poisson, Grand-Papi le remet à l'eau. Des fois, il ne met même pas d'hameçon au bout de sa ligne. Juste être là, au milieu du plan d'eau, le repose. Il dit qu'il apporte une canne à pêche juste pour ne pas avoir l'air d'un fou en plein milieu d'un lac dans une chaloupe.

Malheureusement, y'a *full* bibittes et elles sont super voraces. S'il y a un endroit gros comme la pointe d'une aiguille sur ton corps où tu n'as pas mis de *pouche-pouche* anti-moustiques, c'est sûr qu'il y en a une qui va le trouver et te piquer. Selon Grand-Papi, c'est normal que les moustiques réagissent ainsi parce qu'on est dans leur maison.

J'ai capoté pour rien avec Mart. J'ai parlé à sa mère qui m'a rappelé qu'elle était à son camp musical. Alors tout va bien, c'est encore ma *best*. 😃

C'est drôle, je viens tout juste de remplir ma commode et ma garde-robe et il faut que je les vide parce que je m'en vais.

Mais là, je suis fatiguée, je vais aller dormir.

Publié le 6 juillet à 23 h 53 par Nam
Humeur : Pleine d'énergie

> **Coucou, c'est moi**

Pas capable de dormir. Je suis vraiment réveillée.

J'étais sur le point de m'endormir quand j'ai entendu du bruit. Le temps que je me lève pour voir ce qui se passait dehors, une auto de police est arrivée avec ses gyrophares allumés, ce qui donnait à ma chambre des allures de discothèque.

Je me suis levée, j'ai mis ma robe de chambre et je suis sortie voir ce qui se passait. Deux policiers étaient en train d'interroger un gars avec des cheveux vraiment bizarres. Un punk, genre. Puis Pop est venu me rejoindre sur le balcon. Il m'a demandé ce qui se passait, je lui ai dit que je ne le savais pas. Il a plissé les yeux parce qu'il n'avait pas ses lunettes, est rentré pour aller les chercher.

Il faut dire qu'il ne se passe jamais rien sur une base militaire. C'est vraiment anormal que des policiers aient à intervenir. Qui donc serait assez idiot pour commettre un crime dans un endroit rempli de militaires armés. Pop a déjà eu une arme, mais il a fallu qu'il s'en débarrasse parce que ça faisait *freaker* Mom. Moi aussi, d'ailleurs.

J'allais rentrer quand mon père est ressorti avec ses lunettes. Il a observé la scène et s'est exclamé : « Ben voyons! ». Puis, pieds nus, il a couru en direction des policiers. Je me demandais bien pourquoi!

Pop a discuté avec les policiers, il a parlé aux voisins et genre cinq minutes plus tard, il est revenu avec le gars qui venait de se faire arrêter. Et ce gars, je l'ai enfin reconnu, c'était... Tintin!

En rentrant, il s'est affalé sur le canapé comme il avait l'habitude de le faire quand il venait chez nous. J'ai vu que Mom le regardait avec hostilité parce qu'elle avait peur qu'il salisse le tissu neuf. Mais elle n'a rien dit.

Il nous a raconté ses péripéties. Ça lui a pris genre trois jours pour parcourir les 500 kilomètres qui nous séparent de notre ancienne ville. Il a fait du pouce. Mais comme il portait une jupe de laine, une cape de chasseur de vampires et des cheveux dressés sur la tête à l'aide de Vaseline, il a mis du temps à trouver un *lift.* La première nuit, il a dû faire du camping sauvage. Il a monté sa tente en plein milieu de nulle part. Quand il s'est réveillé la nuit pour aller faire pipi, il est tombé face à face avec une famille de moufettes. Bien entendu, au lieu de s'enfuir, il a tenté de les flatter. Il s'est fait arroser (d'ailleurs, il sentait encore avant de prendre sa douche).

La deuxième nuit, il a dormi dans une grange. Il a essayé d'approcher des chatons tout mignons, mais il s'est fait agresser par la maman.

Une fois arrivé ici, il a sonné à toutes les portes parce qu'il ignorait notre adresse. Quand on lui ouvrait, au lieu de s'excuser, il partait à courir!

Pop a convaincu les policiers qu'il n'était pas dangereux et les militaires ont retiré leurs plaintes.

Tintin a dit qu'il s'ennuyait de nous. Avant de partir de là-bas, il avait demandé à Mom s'il pouvait nous suivre et elle avait refusé, lui disant qu'il avait une famille.

Je ne sais pas combien de temps il va rester. Je suis contente de le voir.

Faut que j'essaie de dormir maintenant, il est *full* tard.

Publié le 6 juillet à 6 h 12 par Nam
Humeur : Vraiment excitée

> On part bientôt

Je me suis couchée trop tard hier soir et je me suis levée super tôt ce matin. J'ai trop hâte de partir.

Ma valise est prête, j'ai pris ma douche et oui, je me suis rasée. Je ne fais officiellement plus partie de la race des yétis. Je me suis fait une vilaine coupure sur le dessus du pied. C'est ce qui arrive quand je vais trop vite. Et genre ça faisait *full* longtemps que je n'avais pas changé la lame du rasoir. Avec une lame neuve, t'as pas besoin d'appuyer fort.

J'ai eu une autre surprise hier soir, après l'arrivée de Tintin. Le voisin, celui qui nous a aidés à déménager, est venu discuter avec Pop. Et... il me prête un ordinateur portable pour que je puisse écrire mon roman ! J'hallucine.

Il dit qu'il ne l'utilise plus. Il est vieux et il lui manque une touche (le G — je ne suis pas chanceuse avec cette lettre !), mais ce n'est pas grave. Je vais quand même pouvoir m'en servir. Faut juste pas qu'il y ait des G dans mon roman.

Ça a été une mauvaise journée pour Pop et Mom hier. Ils ont continué à se disputer jusque dans leur lit. Je les ai entendus. Pop a dormi sur le canapé. Il est d'ailleurs encore là.

Je ne veux pas qu'ils se séparent. Ça me stresse quand ils sont comme ça. Pop est déjà parti de la maison quelques jours quand j'avais 9 ans et je n'ai pas aimé ça. Ils nous ont dit qu'ils allaient faire des efforts pour ne plus se chicaner, mais on dirait que c'est plus fort qu'eux.

Je ne sais pas quand je vais pouvoir écrire ici. Sur ce blogue, je veux dire. Ça va vraiment me manquer. Des fois, quand ça fait trop longtemps que je ne l'ai pas fait, ça me démange. Grand-Papi a dit qu'on partait pour au moins un mois, plus si je pouvais tolérer son « air bête ». Je l'adore, mon Grand-Papi !

Ah oui, Youki vient avec nous. Grand-Papi a dit que s'il se sauvait, il allait se faire manger par les ours, mais je ne le crois pas. Youki est une bête féroce, il pourrait faire fuir n'importe quel assaillant. Grand-Papi dit ça juste pour me taquiner. Je le connais.

On va aller en ville une ou deux fois par semaine pour faire l'épicerie. Il y a un café Internet, je pense, j'en profiterai pour écrire mes péripéties, c'est sûr.

J'ai hâte de partir, j'ai hâte d'être rendue, j'ai hâte d'être dans la nature et j'ai vraiment hâte de commencer mon roman. Je vois des scènes et des phrases défiler dans ma tête.

Grand-Papi vient de se lever ! Ce n'est pas dans son habitude d'être debout si tôt, mais il vient de me dire qu'il ne voulait pas me faire attendre. Trop *cool!*

Publié le 10 juillet à 14 h 42 par Nam
Humeur : Reposée

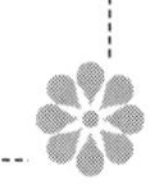

> **Malchances**

Salut blogue ! Tu t'es ennuyé de moi ? 

Ça fait maintenant quelques jours que je ne t'ai pas donné de nouvelles, ce n'est pas parce qu'il n'y en a pas eu !

Le voyage pour se rendre au chalet a presque bien été. Premièrement, Youki a vomi dans l'auto. Dégueu ! Et sur mes cuisses en plus ! Il a le mal des transports, le pauvre ti-chou. Je ne sais pas ce qu'il avait mangé avant de partir, mais ça puait tellement ! Et c'était comme dans les mauvais films d'horreur, les substances qui sortent des gens qu'on vient d'éventrer.

On s'est arrêtés dans une halte routière pour que je puisse me nettoyer. Une chance qu'il n'y a pas eu de vomi sur les bancs de l'auto de Grand-Papi, il n'aurait pas été content. Il l'aime tellement son « char », comme il dit. Il est tellement vieux, il l'avait avant que je naisse.

Après, quinze minutes avant qu'on arrive, l'auto s'est soudainement arrêtée. On s'est fait remorquer jusqu'au garage le plus proche. Rien de grave. C'est seulement que l'aiguille de la jauge à essence ne fonctionne pas et que Grand-Papi avait oublié de faire le plein avant de partir. C'est bien lui, ça ! Au garage, il y avait une machine distributrice d'arachides. Grand-Papi en a mangé, mais moi, j'ai passé mon tour. C'était gras et humide. Je pense que Grand-Papi s'est resservi trois fois. Il y en avait même une qui avait une bibitte dessus. Grand-Papi a soufflé dessus et comme si rien n'était, il l'a mise dans sa bouche.

Quand on est arrivés, il n'y avait plus d'électricité dans le chalet. Grand-Papi a trouvé la source du problème, un arbre est tombé sur des fils électriques. Grand-Papi a utilisé son cellulaire pour appeler les réparateurs. Ils pouvaient venir, mais juste le lendemain. On est retournés en ville pour faire une petite épicerie.

On a fait du ménage dans le chalet, c'était *full* poussiéreux. Il est quand même assez petit. Deux chambres, une cuisinette et un salon.

C'est bizarre de vivre sans électricité. Moi, je n'aurais pas su quoi faire, mais Grand-Papi, ça ne l'a pas énervé. Il a préparé un feu dans le poêle et il a fait cuire des boulettes de steak haché. Miam, les meilleurs hamburgers que j'aie jamais mangés !

Avant de m'endormir, j'ai lu à la lueur d'une chandelle, avec mon petit chien à côté de moi. C'était super romantique.

Je me suis fait réveiller le lendemain matin par le bruit du tonnerre. Je ne me rappelais pas à quel point ça résonnait, c'est à cause des montagnes autour du chalet. C'était effrayant ! Youki tremblait comme une feuille prête à tomber de son arbre.

Le soleil est revenu avant midi et un gros camion est apparu. Deux techniciens (dont un VRAIMENT beau !)

ont réparé les fils et on a eu de nouveau de l'électricité. Dommage, j'aimais bien vivre comme dans le temps de mon Grand-Papi (je l'ai encore taquiné avec son âge).

Parce que c'était humide dehors, il y avait des tonnes de moustiques.  On s'est fait *full* piquer ! Youki avait même le bout du nez en sang. Pauvre ti-chou !

Comme d'habitude, à chaque fois qu'on arrive au chalet, Grand-Papi a fait le tour des lieux pour voir s'il y avait des animaux morts sur le terrain. Il a trouvé un oiseau et un tamia. Avec une pelle, il a fait des trous et les a enterrés. Il y avait des vers blancs sur les animaux. Ark, j'aime pas ça la mort. Et là, j'ai commencé à penser à Zac et j'ai eu des pensées bizarres. Genre je me suis demandé ce à quoi son corps ressemblait après tant de mois sous la terre. Des pensées vraiment sinistres.

J'ai commencé à écrire mon roman. Deux pages. Il n'est pas comme je l'imaginais. Chaque fois que j'écris une phrase, je me relis et je me trouve poche. Ce n'est pas si facile d'écrire pour faire peur.

Grand-Papi dit qu'il est temps de partir.

Elle m'empêche
de faire pipi
Namx♡x

Publié le 13 juillet à 13 h 13 par Nam
Humeur : Superstitieuse (le 13 à 13 h 13 !)

> **Ils me regardent drôlement**

J'aime bien le chalet, mais il y a une chose qui m'a toujours rendue mal à l'aise : il est rempli d'animaux empaillés. Il y a un héron, deux écureuils qui ont l'air de jouer ensemble (dont un à qui il manque le bout de la queue), des oiseaux, un louveteau, une peau d'ours avec une tête qui sent mauvais (paraît que ça ne se lave pas), un raton laveur qui se nettoie le pelage et une tête d'orignal accrochée au mur. Et ils ont tous l'air de m'observer. Ah oui, il y a aussi une belette menaçante à la gueule ouverte qui me fixe quand je m'assois sur le bol de la toilette. Je la recouvre d'une serviette sinon ça m'empêche de faire pipi !

D'aussi loin que je me rappelle, j'ai eu peur de ces bêtes-là. Je n'ai jamais compris pourquoi l'être humain faisait ça, empailler des animaux. C'est quoi le but ?

Quand Grand-Papi a acheté le chalet, ça venait avec. Il n'a jamais essayé de s'en débarrasser parce qu'il dit que ça fait partie du décor.

Quand j'étais petite, je fermais les yeux en m'approchant des animaux. Je n'osais même pas me lever la nuit pour aller aux toilettes parce qu'ils m'effrayaient trop. Je préférais faire pipi au lit, même si je savais que Mom allait me chicaner. Faut dire que Fred m'a traumatisée à un moment donné. Il m'a raconté, alors qu'on était devant un feu de camp, que les animaux empaillés reprenaient vie pendant la nuit. Ils faisaient le tour du chalet et venaient nous renifler quand on dormait. Si on ouvrait les yeux au même instant, il y avait des chances qu'ils nous dévorent. C'est chien, j'étais toute petite !

Mais j'y pense... Ça ferait un excellent sujet pour un roman d'horreur !

Même des semaines plus tard, une fois rendue à la maison, ces bêtes mortes me faisaient faire des cauchemars.

En vieillissant, j'ai appris à les apprivoiser. Mais on dirait que des fois, je suis encore une petite fille de 5 ans qui aimerait se réfugier dans les bras de sa maman.

Grand-Papi m'attend depuis déjà dix minutes.

Publié le 19 juillet à 16 h 23 par Nam
Humeur : Réconfortée

> **Il l'a échappé belle**

Il est fait fort, mon Grand-Papi ! J'ai eu tellement peur pour lui.

Avant-hier, il a décidé d'abattre un arbre mort sur le terrain. Il voulait se faire du bois pour mettre dans le poêle.

Moi, j'étais à l'intérieur, devant l'ordinateur. J'ai effacé plus de vingt pages de mon roman parce que j'aimais pas ça. C'est vraiment plus difficile que je le pensais. Quand je serai plus sûre de mon histoire, j'en parlerai. Mais pour l'instant, j'explore.

Je dois aussi faire des efforts pour bien écrire. Ce n'est pas facile ! Je ne peux pas mettre des « genre », « full », « supra », « hot » ou « cool ». Il y a aussi que je manque de vocabulaire, des fois. Heureusement, j'ai découvert qu'il y avait un dictionnaire intégré à l'ordinateur qui contient des synonymes. Ça m'aide.

Ce n'est pas ce que je voulais écrire : il s'est passé quelque chose de grave. J'écrivais, donc, et Grand-Papi est entré, les mains *full* de sang. Il s'était donné un coup de hache sur la jambe ! Je capotais !

Je lui ai apporté tout ce qu'on avait comme serviette pour l'empêcher de saigner. J'ai suivi un cours de premiers soins pendant la formation de Gardiens avertis, c'est ce qu'on nous disait de faire.

Grand-Papi a fait couler de l'eau sur sa plaie. Il ne s'est pas manqué ! Il m'a dit qu'il allait être correct, qu'il n'avait pas besoin de voir un médecin. Mais j'ai insisté.

Alors on est allés à l'hôpital. Il sifflait quand il conduisait, comme si de rien n'était. Et il était plus inquiet pour les tapis de son auto que pour son gros bobo.

On n'a pas attendu longtemps à l'urgence, vu son âge (c'est ce que le médecin lui a dit !). Il lui a fait douze points de suture. Ça n'a même pas pris une demi-heure. Et en revenant, il a pris sa hache et il a continué son travail ! Le docteur lui avait pourtant dit de se reposer. J'ai essayé de lui faire comprendre, mais il n'y avait rien à faire, il a une tête de cochon.

Je n'ai pas pu continuer à écrire, j'étais trop énervée. Et s'il s'était coupé un pied ? Et s'il était mort au bout de son sang ? Je préfère ne pas y penser !

Depuis l'accident, il ne s'est pas plaint une fois, sauf pour dire qu'il trouvait dommage d'avoir dû couper son jeans préféré, un truc qu'il avait depuis vingt ans. Il dit qu'il va le réparer avec du fil à pêche.

Parlant de ça, on est allés pêcher. On n'a rien attrapé, mais il y a un poisson qui a sauté dans la chaloupe ! Grand-Papi lui a donné un baiser sur le nez avant de le laisser repartir. Moi, je ne voulais pas, c'était gluant. Quelques instants plus tard, qui réapparaît à la surface de l'eau autour de la chaloupe ? Le même poisson ! On l'a reconnu parce qu'il avait une tache sur le nez. Il nous a suivis jusqu'au quai et il est disparu. Grand-Papi a dit que c'était sûrement une femelle parce que ses baisers ont toujours fait cet effet-là aux femmes. N'importe quoi !

Publié le 23 juillet à 10 h 35 par Nam
Humeur : Appréhensive

> **Grand-Papi a une tête de cochon**

Grand-Papi a de plus en plus mal à la jambe. Je crois que sa blessure s'est infectée. Il ne voulait pas se rendre à l'hôpital, mais Mom, au téléphone, l'a convaincu d'aller faire un tour. Elle est infirmière, elle sait de quoi elle parle. Le médecin qui lui a fait les points de suture lui a dit de rester calme, mais il n'a pas suivi ses recommandations. Il n'écoute jamais ce qu'on lui dit.

À côté du café Internet, il y a une clinique. Il y est présentement. Grand-Papi dit qu'ils devront sûrement l'amputer. Son humour est trop *weird*. Euh, bizarre, je veux dire.

Il ne fait pas attention à lui. Fumer, par exemple. L'hiver dernier, il a attrapé un rhume. Depuis, il ne se passe pas une journée sans qu'il s'étouffe pendant qu'il tousse. C'est inquiétant. Mom lui a dit qu'il devrait cesser de fumer parce qu'il allait mourir d'un cancer. Comme ma grand-mère, sa femme, que je n'ai jamais connue. Paraît que c'était une femme formidable. Je lui ressemble un peu, c'est ce que Grand-Papi me dit. Elle est morte un mois avant ma naissance d'un cancer du poumon. Elle fumait. Je sais qu'avant, il y avait des pubs qui disaient que fumer était bon pour la santé. Mais on sait aujourd'hui que c'est du poison. Alors pourquoi les gens continuent de fumer ? C'est juste con.

J'en ai parlé à Grand-Papi. Il me dit que c'est un plaisir qu'il s'offre et qu'il arrêtera le jour de sa mort. J'ai fait une recherche sur la cigarette pour un exposé oral en sixième. Il y a plus de deux mille produits susceptibles de donner le cancer. Sans compter la fumée secondaire qui peut aussi tuer. Je me souviens d'avoir lu un article où on mentionnait qu'une femme était morte d'un cancer du poumon même si elle n'avait jamais fumé de sa vie. Elle avait travaillé dans un bar et, à 40 ans, on lui a annoncé qu'elle avait un cancer des poumons. C'est la fumée qu'elle avait respirée pendant toutes ces années qui l'avait rendue malade !

Je sais que c'est comme une drogue, qu'on ne peut pas arrêter du jour au lendemain, comme ça. Et Grand-Papi, ça fait soixante ans qu'il fume. Il a commencé à 13 ans. Mon âge. Ark, je ne me vois pas fumer. Ça pue tellement.

Je l'aime, mon Grand-Papi. Je ne veux pas qu'il meure.

Je suis un peu déprimée aujourd'hui. Il pleut dehors et j'ai mal au ventre. Je crois que je vais avoir mes règles. C'est pas régulier, je croyais que j'allais pouvoir m'en sortir pour l'été. Une chance que Mom a pensé mettre des serviettes sanitaires dans mes bagages. Je lui ai dit que ça n'allait pas être nécessaire, mais elle a insisté. Elle pense à tout cette maman d'amour !

Je m'ennuie de Zac aujourd'hui, plus que d'habitude. J'ai les bleus. Des fois, je me demande si c'est ma faute s'il est mort. C'est con, je sais.

Grand-Papi vient d'entrer dans le café Internet. Il a un papier que le médecin lui a donné pour des antibiotiques. Si ça ne marche pas, pour régler le problème, il dit qu'il va se couper la jambe avec la hache. Il va arrêter de perdre du temps dans des cliniques. Pfff...

Tu dois survivre
bébé renard
Nam

Publié le 25 juillet à 17 h 27 par Nam
Humeur : Soucieuse

> Il fait pitié

C'est trop drôle. Grand-Papi est à côté de moi. Pour la première fois de sa vie, il navigue sur Internet. Il n'a jamais rien voulu savoir puis tout d'un coup, genre il y a trois jours, il a commencé à me poser des questions et m'a dit que ça l'intéresserait d'essayer la « machine ».

C'est la dame responsable du café qui lui montre comment. Une chance, je ne suis pas sûre que j'aurais la patience ! Tsé, il pensait que la souris était une espèce de microphone. Il parlait dedans pour essayer d'allumer l'ordinateur. Il part de loin.

Voici la nouvelle du jour : j'ai trouvé un bébé renard ! On appelle ça un renardeau. Il est tellement *cute !*

Je me promenais dans la forêt et j'ai croisé un vieux bâtiment en haut d'une colline. Je crois que c'est un hangar parce qu'il a de grandes portes. Je ne voulais pas entrer dedans parce que j'avais peur que le toit me tombe sur la tête. Et pour être honnête, ça me faisait peur. J'ai fait le tour et j'ai regardé par une des fenêtres qui n'avait plus de vitre. Et si je tombais sur un cadavre ? Épeurant ! Une chance qu'on était le jour, sinon, je serais partie en courant.

Mais Youki, le courageux beagle, même s'il ne pèse que huit kilos, a trouvé un trou et a disparu dedans. Il a un super pif, ce chien. C'est un chien de chasse, Grand-Papi m'a dit qu'il pouvait suivre une piste pendant six heures sans se fatiguer. Je n'ai pas de difficulté à le croire, c'est pour ça qu'on le garde en laisse la majorité du temps.

Il a commencé à renifler le sol comme un malade. Il agit comme ça quand il sent une piste intéressante. Des fois, c'est un écureuil, mais souvent, c'est quelque chose qui se mange.

J'ai appelé Youki pour qu'il sorte mais, comme d'habitude, il ne m'a pas écoutée. Il a fallu que j'aille le chercher. Tout de suite en entrant, j'ai foncé dans une énorme toile d'araignée. Dégueulasse ! J'en avais plein les cheveux. Je me suis mise dans la tête que l'araignée était restée dans mes cheveux, j'ai commencé à crier en me frottant la tête. J'avais l'air d'une folle !

J'ai trouvé Youki dans le fond de la cabane, derrière un tracteur rouillé. Je l'ai tassé et j'ai vu qu'il y avait un renard mort. Plus loin, c'était des bébés renards immobiles. Morts aussi. J'allais sortir jusqu'à ce que je me rende compte qu'il y en avait un qui bougeait encore ! Une petite boule de poils roux qui remuait la tête en tremblant. Ça m'a brisé le cœur !

Je suis retournée en courant au chalet et j'ai fait part à Grand-Papi de ma découverte. Il a pris des gants et une serviette et m'a suivie. Il a mis les gants et placé le renardeau dans la serviette.

- Pourquoi tu portes des gants ? je lui ai demandé.

Grand-Papi m'a répondu :

- Au cas où il serait malade.

On l'a ramené au chalet. Grand-Papi l'a mis dans une petite boîte. Après, on est allés chez le vétérinaire, qui l'a nourri avec une seringue. Il a pris le temps de l'ausculter et de lui donner des vaccins. Il n'a rien de cassé, mais il est très maigre.

Le vétérinaire a été honnête : ses chances de survie sont bien minces. Pour l'instant il est dans l'auto, bien au chaud.

Il doit survivre ! Cette petite bête ne peut juste pas mourir. Ce serait trop injuste. Il tremble et il n'arrête pas de pousser des petits sons aigus. Il est tellement mignon.

Grand-Papi en a marre de la « machine » parce qu'elle ne l'écoute pas, on doit s'en aller.

Publié le 26 juillet à 13 h 50 par Nam
Humeur : Encore soucieuse

> **Comment l'appeler ?**

Quand on est arrivés au chalet, Grand-Papi est retourné au hangar et il a enterré les petits renards (il en a trouvé quatre finalement) et l'adulte, qui était la maman. Il m'a dit qu'il ne savait pas comment ils étaient morts.

L'état du petit renard est stable. Il ne va ni mieux ni moins bien. Il mange un peu. Je lui donne du lait spécial que le vétérinaire nous a donné. Il dort beaucoup et quand il se réveille, il fixe un point et ne bouge pas. Je lui flatte la tête.

J'ai lu sur le renard roux. Son nom scientifique est Vulpes vulpes, ce qui est plutôt laid. Son plus grand prédateur est l'homme, qui utilise sa fourrure pour faire des manteaux et des chapeaux. Comment peut-on faire mal à une aussi belle bête ? Ça m'écœure. Quand j'ai fait ce commentaire-là à Grand-Papi, il m'a fait remarquer que chaque jour, des millions de boeufs et de poulets sont tués pour leur viande, mais malheureusement, ils n'ont pas la chance d'être mignons, alors personne ne s'en soucie. C'est vrai. Je songe à devenir végétarienne.

Le renard est omnivore. Il peut se nourrir de petits fruits, de rongeurs, de grenouilles et de poissons. La maman renard peut avoir jusqu'à dix renardeaux, mais en moyenne, c'est cinq. Le vétérinaire a dit que le nôtre avait à peu près cinq semaines.

Grand-Papi m'a raconté au souper hier soir que lorsqu'il avait mon âge, il avait retrouvé un renard blessé, adulte. Il avait une patte cassée et une oreille déchirée. Au début, l'animal était très agressif. Mais à force d'être gentil avec lui, Grand-Papi l'a apprivoisé. Il l'a soigné et c'est devenu son ami jusqu'à ce que ses parents le forcent à s'en débarrasser. Il m'a dit qu'il avait eu beaucoup de peine. Le renard est resté dans les alentours et il venait saluer Grand-Papi une fois de temps en temps. Puis, un jour, il a disparu.

Que va-t-il se passer avec le petit renard quand je vais retourner à la maison?

Il faut que je lui trouve un nom. Il y en a plein qui me sont venus en tête. Le plus évident est Rouki, du film de Walt Disney *Rox et Rouki*. Grand-Papi dit que ce n'est pas original. Il a raison. Je vais y penser.

Grand-Papi est à l'ordinateur à mes côtés. Il sacre beaucoup parce que l'ordinateur ne fonctionne pas comme il le voudrait. La propriétaire du café Internet est vraiment patiente avec lui. Elle l'appelle toujours « mon beau monsieur ». Elle a à peu près le même âge que lui. Peut-être qu'ils pourraient former un couple? Ce serait tellement bizarre, je n'ai jamais vu Grand-Papi avec une femme.

Publié le 27 juillet à 9 h 12 par Nam
Humeur : Démunie

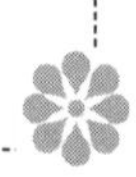

> Ça ne va pas bien

Le petit renard est mal en point. Hier soir, il a refusé de manger ou de boire. Il a fallu que Grand-Papi lui enfonce une pipette dans la gorge.

Il n'a plus de force pour marcher ou lever la tête et même ouvrir les yeux, ça a l'air pénible. Même Youki a senti qu'il n'allait pas bien. Il a dormi à côté de sa boîte. Je ne veux pas qu'il meure !

Grand-Papi a passé la nuit à veiller sur lui. Ce matin, quand je me suis levée, j'ai eu peur qu'il m'annonce qu'il était mort. Il m'a plutôt dit qu'on allait chez le vétérinaire.

On était là à l'ouverture. Le vétérinaire a écouté son cœur. Ses battements sont peu nombreux et irréguliers. Il nous a demandé si on voulait le faire euthanasier. Quoi ?! J'ai commencé à pleurer.

Grand-Papi a dit qu'il était prêt à payer ce qu'il fallait pour le guérir. Il est présentement dans une cage, à la clinique vétérinaire. Ils lui ont mis un soluté pour qu'il puisse reprendre des forces.

Je me croise les doigts.

Il faut qu'il vive.

Je n'ai plus le goût d'écrire.

Publié le 28 juillet à 10 h 15 par Nam
Humeur : Optimiste

> **Ça va un peu mieux**

Nous sommes allés chez le vétérinaire ce matin. C'est rassurant, le petit renard va un peu mieux. Il reprend des forces. Il a accepté de manger et il nous regarde quand on l'appelle. La technicienne a parlé d'un miracle. Elle était sûre qu'il n'allait pas passer la nuit.

J'ai passé une soirée agréable avec Grand-Papi. Il a fait des hot-dogs sur le barbecue et après, on a jasé. J'aime lui poser des questions sur son passé. J'ai beaucoup de mal à imaginer qu'il a déjà eu mon âge ou même l'âge de mes parents.

Je lui ai demandé quel genre de garçon il était quand il était petit. Il m'a dit qu'il était très turbulent et qu'avec ses frères (il en avait huit !), il faisait beaucoup de mauvais coups. Par exemple, il aimait frapper aux portes des maisons et partir en courant. Un jour, avec ses frères, il jouait au cowboy et aux Indiens avec un voisin. Ils l'ont attaché à un arbre. Ils sont allés souper. La mère du voisin a cogné chez eux et elle leur a demandé s'ils savaient où était son fils. Ils l'avaient oublié !

Il n'est pas allé à l'école longtemps parce que son père est mort dans un accident. Il a reçu un arbre sur la tête. Il se rappelle qu'il a aidé ses oncles à transporter le corps à la maison. Il ne m'a pas donné trop de détails, mais il a versé quelques larmes. Il s'est excusé et il est allé aux toilettes.

Ça faisait bizarre. Je n'avais jamais vu mon grand-père pleurer. Il est toujours fort et rien ne le déstabilise. Tu le mets dans n'importe quelle situation, il sait comment réagir. Il vit avec nous depuis que j'ai 2 ans et jusqu'à hier soir, rien n'avait l'air de l'énerver.

Jusqu'à 40 ans, il ne savait ni lire ni écrire. Il n'en avait pas besoin parce qu'il était cultivateur. Quand il a voulu travailler en ville dans une aluminerie, il a pris son courage à deux mains et il est retourné à l'école. Aujourd'hui, il prend des cours à l'université le soir. Pas dans une matière en particulier, juste pour se cultiver.

Grand-Papi m'a dit qu'on allait encore rester deux semaines au chalet. Après, on retourne à la maison. Et à l'école. Ça commence à m'énerver un peu. Je ne connais personne et je me demande si je vais pouvoir me refaire des amis. Peut-être que je pourrais faire de l'impro ?

Y'a aussi qu'on va me poser des broches. J'ai essayé de faire retarder cette torture une autre fois, mais cette fois, Mom n'a pas mordu à l'hameçon. Ça fait genre la cinquième fois, elle en a assez. 🙄

Ah oui, parlant d'elle, Mom et Pop vont venir faire un tour en fin de semaine. Ils arrivent demain. Je dois les convaincre d'amener le renard avec moi. Avec Pop, ce sera facile. Mom, non. Elle n'aime pas trop les animaux. Des fois, quand Youki fait une bêtise, elle dit qu'avoir des animaux, c'est vraiment trop compliqué.

Je prépare une tactique.

En plus, quand Fred
jouait, ça faisait
hurler Youki
Namx♡x

Publié le 1er août à 14 h 57 par Nam
Humeur : Maussade

> **Elle ne veut rien savoir**

J'ai tout essayé et c'est toujours non. Ils sont complètement fermés à l'idée. Mom et Pop ne veulent pas que je ramène le petit renard à la maison. Et s'il a encore besoin de soins ? Qui va s'en occuper ?!?!?! Si on le laisse dans la forêt, il va mourir et on aura fait tout ça pour rien.

Mom le trouve mignon, mais elle n'a pas voulu le toucher, même quand je le tenais dans mes bras. Pop, je pense qu'il s'en fout un peu. C'est à lui que j'en ai parlé en premier, parce que je sais qu'il est plus ouvert. Il m'a dit d'aller voir ma mère. C'est là que j'ai frappé un mur.

Il n'y a jamais moyen de discuter avec elle. Quand elle dit non, même si j'ai des super arguments, c'est toujours non.

Elle pense que le renard va amener des maladies. Impossible, le vétérinaire l'a vacciné. Elle dit qu'il va être agressif. Grand-Papi lui a dit qu'il en a déjà eu un et que si on le nourrit tous les jours, il ne cause pas d'ennuis. C'est comme un chien, sauf qu'il a de plus grandes oreilles. Elle a dit qu'un chien, c'était assez.

C'est toujours compliqué avec elle. Le renard, je vais m'en occuper, il ne la dérangera pas. Mais elle ne veut rien savoir.

Quand j'ai trop insisté, elle m'a dit de me taire et de ne pas être insolente. Je suis partie dans ma chambre et je ne suis pas sortie de la soirée. J'ai pris le bébé renard dans mes bras et j'ai passé tout mon temps à flatter sa fourrure en pleurant. Il a léché les larmes sur mes joues. Je l'aime.

Ça m'enrage tellement quand je n'arrive pas à discuter avec ma mère. C'est comme si elle avait toujours raison et moi toujours tort.

Mais avec Fred, c'est différent. Elle lui dit toujours oui, même quand ce sont des projets stupides. Quand il a voulu avoir une batterie, il a juste eu besoin d'insister. Au début, elle ne voulait pas, prétextant que ça faisait trop de bruit et que c'était trop cher. Fred ne lui donnait même pas d'arguments, il disait juste qu'il en voulait une parce que ce serait *cool* et qu'il voulait en faire depuis *tellement* longtemps (genre une heure). Jamais elle ne lui a demandé de se taire parce que c'était impoli de répliquer.

Le lendemain, comme par magie, c'était oui. Quoi ?! La batterie coûtait soudain moins cher ? Elle faisait subitement moins de bruit ? Moi, si j'en avais voulu une, jamais elle n'aurait accepté. Elle a toujours préféré mon frère à moi, c'est évident.

Et la batterie, qu'est-ce qu'il a fait avec ? Il a joué une dizaine de fois, puis il l'a vendue à un de ses amis.

Je dois y aller, c'est l'heure du repas du bébé-renard-qui-n'a-pas-encore-de-nom-et-qui-risque-de-mourir-si-on-ne-lui-vient-pas-en-aide.

C'est ce truc
que Fred avait
sur la tête
Namxox

Publié le 4 août à 12 h 04 par Nam
Humeur : Amusée

> ***Full* mignon !**

Le petit renard est tellement *cute!* Il prend de plus en plus de force. Il joue avec Youki à cache-cache et il mange dans son plat.

Je me suis défâchée depuis la dernière fois que j'ai écrit, mais j'ai encore des choses à rajouter. Après, je n'en parlerai plus. Faut juste que je vide la question.

J'adore mon frère, même s'il agit souvent comme un ortho. Et même s'il me tape sur les nerfs, ce sont surtout les injustices qui me fâchent. Quand je dis à Mom que je trouve qu'elle est injuste avec moi, elle dit que j'hallucine. C'est tellement vrai ! Fred a toujours tout sans vraiment s'obstiner. Moi, je dois presque me battre quand je veux le sel et le poivre.

Je reviens avec l'histoire de la batterie. J'ai oublié de dire que tout d'un coup, Fred voulait devenir une *rock star.* Avec ses *chums*, il voulait fonder un groupe de rock. Il s'est trouvé un style. Genre il portait ses jeans à l'envers et parlait avec un accent anglais. Ah oui, il s'est promené avec un truc en métal sur la tête retenu par un élastique sous le menton. Une affaire pour enlever l'eau des nouilles ? Un égouttoir, c'est ça. (Je viens de demander à Grand-Papi qui s'amuse de plus en plus avec « sa machine », assez pour me demander si j'ai le goût de retourner au café Internet tous les jours.)

Je ne me rappelais plus trop comment son groupe de musique s'appelait, mais c'était quelque chose comme « La spatule qui vomit ». Et là, il lui fallait ABSOLUMENT une batterie parce que c'était le seul moyen pour lui de devenir riche et, surtout, célèbre. Un de ses amis avait une guitare électrique, un autre une basse. Fred a décidé qu'il allait être le batteur. Il aurait mieux fait de jouer du triangle. C'était horrible, son affaire. Un singe aveugle à un bras et accroc à la cigarette aurait mieux fait.

Dans le fond, peut-être que ma mère a cédé uniquement parce qu'elle voulait ravoir son égouttoir? En tout cas, tout ça a duré deux semaines. Ils pratiquaient dans le sous-sol. Personne ne savait jouer. Ils faisaient n'importe quoi parce qu'ils voulaient faire de la « nouvelle musique ». Ils ont même tourné une vidéo avec la caméra Web d'un des membres du groupe. Ils l'ont mise sur *Youtube*. Ils pensaient qu'une compagnie de musique allait leur faire signer un contrat. Fred me disait que ça ne servait à rien d'apprendre à jouer de la musique, il ne leur fallait qu'un *hit* pour les rendre millionnaires. Paraît que c'est arrivé à plein de groupes.

Dans le fond, je ne pense pas que c'était l'argent qui l'intéressait, mais plutôt les filles que son succès aurait pu attirer. Mais ça, il ne va jamais l'avouer.

Est-ce que j'ai dit que c'était lui qui chantait? Pop lui a dit d'éviter de le faire dans le sous-sol parce que ça pourrait faire craquer les fondations. Et Grand-Papi a affirmé que ça lui rappelait les horreurs de la guerre.

Mom lui a donc acheté une batterie et une nouvelle

passoire en plastique vert au magasin à un dollar pour ravoir la sienne.

Tout ce que ça a donné, c'est qu'ils ont reçu des centaines de courriels haineux et que personne ne leur a fait signer de contrat. Quand il a vu que ce n'était pas si facile, il a tout laissé tomber. Comme d'habitude quand il commence un projet, il ne le finit jamais. Et Mom n'a pas dit un mot. Pas un seul.

Si ça m'était arrivé, j'aurais eu droit à un sermon. Aujourd'hui, Fred ne veut plus qu'on lui parle de cette phase de sa vie (ce que je ne m'empêche jamais de faire quand je veux l'écœurer). Il nie même qu'elle ait existé.

Il est temps de trouver un nom au renard-qui-n'a-pas-de-nom. Je vais aller jeter un œil sur Internet. Grand-Papi est encore sur l'ordi et il n'a pas l'air de vouloir décoller. J'ai hâte de retrouver le renard tout mignon !

[1 commentaire]

Publié le 5 août à 15 h 26 par Nam
Humeur : Anxieuse

> **J'ai trouvé**

Il va s'appeler H'aïme, ce qui signifie « vie » en hébreu. C'est *cute*, non ? J'ai décidé de lui donner ce nom parce que c'est un survivant. 😊

On a croisé le vétérinaire avant d'entrer dans le café Internet. Il a demandé des nouvelles du bébé renard. Il nous a avoué que son équipe et lui étaient persuadés que les heures de H'aïme étaient comptées quand Grand-Papi et moi avons dit non à l'euthanasie.

Il est super coquin ce renard. Ce matin, il est parti à courir avec un de mes soutiens-gorge dans la maison. Il ne voulait plus me le rendre ! Ah oui, il y a aussi les animaux empaillés qui l'intriguent. Il s'approche d'eux, les renifle, les observe, s'en va et revient. Il peut faire ça pendant des heures. Y'a juste la belette méchante dans la salle de bains qui lui fait trop peur.

Parlant de cette horrible belette… elle était dans mon rêve. J'étais aux toilettes, je faisais pipi et elle a commencé à me parler. Elle clignait des yeux et sa bouche remuait. Elle me disait qu'avec ses amis, elle voulait assouvir sa vengeance. Et elle me sautait dessus. Je tassais ma tête juste à temps et en relevant mon pantalon, je me réfugiais dans le salon où tous les animaux étaient en vie. Et ils m'en voulaient. C'est Tintin, avec une de mes laides petites culottes sur la tête, qui venait à mon secours. C'est là que je me suis réveillée parce que H'aïme et Youki se chamaillaient. Ils jouent ensemble, c'est adorable. Youki se tanne vite, mais le petit renard en redemande. Il n'arrête pas de lui mordre une oreille ou le bout de la queue. Youki fait comme s'il était insulté, mais dans le fond, il aime ça.

On retourne bientôt à la maison et j'angoisse de plus en plus à l'idée de laisser le renard ici. J'ai voulu que Grand-Papi me rassure, je lui demandé s'il pensait que le renard allait survivre si on le laissait dans la forêt. Il a pris une bouffée de sa cigarette et il a dit « peut-être ». Ça, ça veut dire NON! 😕 Il a dit qu'il n'était encore qu'un bébé et qu'il n'avait pas encore appris à se nourrir seul. Ce n'est pas une chose qui s'apprend en quelques jours. Donc si on le relâche dans la nature, eh bien, il va probablement mourir de faim. *Shiiiiiiiit!* Quelle horreur!

Je ne veux pas que H'aïme meure. Je veux l'amener avec moi à la maison et m'occuper de lui. J'ai demandé à Grand-Papi s'il avait une autre solution, il m'a dit qu'il allait y penser. Il n'y a pas mille solutions : soit on le laisse ici, soit on l'amène avec nous.

Je déteste ce genre de situation. Si Mom était plus ouverte, ce serait tellement facile.

Est-ce que tu
trouves que je sens
bon, ourson?

Publié le 8 août à 17 h par Nam
Humeur : Soulagée

> **La peur de ma vie**

Il ne nous reste plus que quelques jours au chalet et le sort de H'aïme me préoccupe de plus en plus. Grand-Papi est allé voir le vétérinaire pour savoir s'il pouvait le garder. Il lui a dit que c'était impossible parce que toutes ses cages étaient pleines. Grand-Papi me dit qu'il pense fort à une solution. J'espère qu'il va en trouver une !

Hier, il faisait super chaud. Genre à l'intérieur du chalet, c'était invivable. On n'a pas apporté de ventilateur, alors l'air ne circule pas du tout. Je voulais écrire, mais j'étais incapable de me concentrer.

Ça n'a pas empêché Grand-Papi de porter son jeans et sa chemise en flanelle à carreaux. Je ne sais pas comment il fait. En tout cas.

Je suis allée me promener en forêt avec Youki. On a vu une famille de ratons laveurs et plein de grenouilles. Et des pics-bois.

À un moment donné, on s'est approchés du lac. Je n'avais jamais mis les pieds là, j'ignorais qu'il y avait une plage. J'ai remarqué qu'à cet endroit, il n'y a pas beaucoup d'algues.

Je dois dire que j'adore me baigner dans le lac, mais je ne le fais pas souvent parce que la sensation des algues sur ma peau m'écœure au plus haut point. C'est rugueux et gluant et ça s'entortille autour de mes chevilles et ça veut me tirer dans le fond pour me noyer (j'exagère à peine!). Aussi, j'ai toujours peur qu'un poisson supra méchant surgisse, genre un rescapé du monde préhistorique. Avec *full* dents pointues et une peau comme celle d'un alligator. À l'extérieur de l'eau, les pieds sur le sol, je sais que ça ne se peut pas. Mais dans l'eau, ça devient super réel et je capote complètement.

Donc, à l'endroit où j'étais, il n'y avait pas d'algues. Je me suis dit que c'était le moment où jamais de me baigner. Ça tombait mal, je n'avais pas mon maillot en dessous de mes vêtements. Bon... Comme il n'y avait vraiment personne à l'horizon, ça ne me dérangeait pas d'exhiber mes affreuses vergetures.

Avant d'entrer dans l'eau, je ne sais pas trop pourquoi, mais je me suis demandé ce que ça faisait de se baigner nue. Comme dans un film que j'ai vu quand j'étais toute petite et qui m'a impressionnée. L'histoire de deux jeunes sur une île déserte. C'est quoi le titre... *Le Lagon bleu!* C'est ça!

J'ai regardé partout autour de moi. Personne. J'ai finalement tout enlevé.

Et c'était... génial! Vraiment. L'eau était à une température idéale, pas trop froide. J'avais vraiment une sensation de liberté. Mais même en plein milieu de nulle part, j'avais la chienne de me faire surprendre. Je me suis même demandé si c'était criminel! J'ai nagé quelques minutes, puis j'ai entendu Youki japper comme un fou.

Vraiment pas normal. J'ai vite vu ce qui avait attiré son attention. Une petite boule noire toute jolie : un bébé ours ! Il reniflait mes vêtements, le cochon !

Grand-Papi m'a déjà dit quoi faire si je rencontrais un ours. Ne JAMAIS courir. Lui montrer qu'on n'a pas peur. Lui parler gentiment. Neuf fois sur dix, il va s'en aller parce qu'il est assez peureux. Tout ça, c'est facile à dire. Mais quand t'en as un devant toi, ça fait peur.

Je l'ai regardé pendant genre une minute pendant que Youki nageait vers moi. Après avoir abondamment reniflé mes vêtements, il a bu de l'eau. Et c'est à ce moment que je me suis dit que si le bébé était là, ça voulait dire que la maman n'était pas loin...

Et justement, la maman est arrivée. Et elle aussi, elle a fourré son nez dans mes vêtements. C'était quoi le problème ? Je puais ? Est-ce que je devrais vendre mon odeur dans les magasins de chasse et pêche pour attirer les ours ?

J'ai commencé à paniquer quand j'ai vu l'ourse prendre mon short dans sa gueule. Et s'ils se sauvaient avec tous mes vêtements ? Faudrait que je retourne nue au chalet ! Ce serait pire que de se faire attaquer ! Et en plus, quelqu'un pourrait me prendre en photo, l'envoyer aux médias et je deviendrais la version féminine du Sasquatch, quelque chose comme l'abominable femme des neiges. Je deviendrais une légende.

C'est à ce moment que j'ai éternué. Les deux ours ont fait un saut et ils se sont enfuis.

Fin de l'aventure.

Je me suis rhabillée rapidement et je suis retournée au chalet pour aller dorloter H'aïme. J'ai tout raconté à Grand-Papi (sauf la partie où il y a de la nudité gratuite) et il a trouvé ça drôle.

On s'en va souper au resto. Yé!

Falut, f'est
moi ta noufelle
grand-mère

Publié le 10 août à 13 h 42 par Nam
Humeur : Troublée

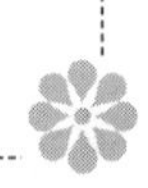

> **Tous les goûts sont dans la nature**

Je crois que Grand-Papi est amoureux. En fait, non, je suis sûre que Grand-Papi est amoureux. C'est lui qui me l'a dit. Paraît qu'il a rencontré une femme « extraordinaire » sur un site de rencontres.

Je sais que je l'ai déjà dit, mais y'a rien qui semble déranger cet homme. Même si je rentrais en paniquant dans la maison en disant que l'eau du lac s'est transformée en sang, il ne clignerait même pas des yeux. Il dirait juste « les poissons vont voir rouge » ou « je me demande de quel groupe sanguin ils sont ».

Ces derniers temps, Grand-Papi a changé. Il est devenu... Comment dire... Heureux? Il parle plus souvent, il sourit, il rit pour des riens. C'est inquiétant. Venant de lui qui, d'habitude, répond par un oui ou un non et parle seulement quand c'est nécessaire, c'est inquiétant. 😮

Il ne m'a pas dit clairement qu'il était amoureux. Il a juste mentionné qu'il avait hâte de retourner à la « machine » pour parler à son « amie ». J'ai jeté un coup d'œil sur son écran à quelques reprises et il passe le plus clair de son temps sur des sites de rencontres. J'espère qu'il n'aura pas de mauvaise surprise comme Fred.

Je n'ai jamais imaginé mon grand-père avec une amoureuse. Quand on lui faisait des blagues à ce sujet, il disait qu'il avait assez donné ou que personne ne pourrait remplacer ma grand-mère. Mais que s'est-il donc passé ?

Je ne vois pas mon grand-père embrasser une femme. C'est pas possible. C'est une image que je ne suis même pas capable de faire apparaître dans mon esprit. Et je n'imagine même pas ce qu'il pourrait faire avec elle une fois la porte de sa chambre fermée. Ark !

Je me suis demandé quel genre de femme pourrait l'intéresser. De son âge, c'est sûr, mais côté personnalité, ça donnerait quoi ?

Une tite madame toute frêle et tranquille ? Elle va à l'église tous les dimanches et elle est veuve depuis 40 ans.

Ou une autre super active qui fait plein de bénévolat, genre tous ses jours sont occupés et elle a un classeur rempli de certificats de remerciements ?

Non, tiens, une sportive. Une super joueuse de miniputt, de pétanque ou de quilles. Genre une tueuse de 75 ans qui refuse de perdre. Quand on joue aux cartes avec elle, on la surprend chaque fois à tricher et elle nie tout.

Ou une excentrique. Les cheveux orange et rouge, des vêtements pleins de couleurs et qui se bat au parc avec les autres enfants pour savoir qui sera le premier à mettre ses fesses sur la glissoire.

Ou une super sévère, genre qui n'a jamais eu d'enfant et qui trouve que la télévision est une création du diable. Elle se promène avec un fouet dans sa sacoche et ne se gêne pas pour l'utiliser. Et elle est *full* bonne, elle peut atteindre une mouche qui vole à dix mètres d'elle.

Bon, OK, j'arrête de niaiser. Ce sera finalement une femme supra normale dont la seule bizarrerie sera une collection de mouchoirs usagés dans la manche de sa veste.

Voilà.

Dans le fond, je suis contente pour Grand-Papi. Ça ne doit pas être facile d'être seul. Il mérite d'avoir de la compagnie.

Publié le 13 août à 10 h 08 par Nam
Humeur : Libérée

> Grand-Papi est un amour

Le jour du départ approche. On ne sait pas trop quelle journée exactement on va s'en aller, mais c'est bientôt. Et je commence sérieusement à angoisser. Pour plein de raisons.

H'aïme, premièrement. Il se porte bien, même s'il a commencé à boiter depuis quelques jours. Grand-Papi a regardé sa patte et il avait une épine dans un de ses coussinets.

Il est trop trognon, ce renard. Il va à l'extérieur, mais ne s'éloigne jamais trop loin. Et quand on l'appelle (contrairement à Youki qui nous regarde en nous faisant une grimace), il vient. Il est domestiqué, ce qui n'est pas une bonne chose si on veut le relâcher dans la nature.

Il est dépendant de nous.

Mais... Grand-Papi m'a annoncé ce matin que le renardeau venait avec nous. Qu'il allait en prendre la responsabilité et qu'il n'allait pas céder au chialage de Mom. Je suis vraiment contente. Je me suis levée et je suis allée l'embrasser sur les deux joues. Un stress de moins !

Ça me soulage tellement. Avant de m'endormir le soir, j'imaginais les pires scènes :

- Il se faisait attraper par un chasseur qui le faisait empailler.

- Il mourait de faim.

- Il se faisait prendre une patte dans un piège.

- Il était adopté par une famille de marmottes et il était harcelé par ses demi-frères et demi-sœurs parce qu'il était différent d'eux.

- Il allait mourir *écrapouti* sous les pneus d'une auto. Ou pire, sous les pneus d'un avion qui se serait posé d'urgence sur la route proche d'ici.

Ouain... Avoir de l'imagination, ça a du bon, mais des fois, ça rend dingue.

L'école aussi me stresse de plus en plus. Je suis seule au monde ! Je ne connais personne. Je vais être comme Robinson Crusoé sur son île. Je vais devenir amie avec mon étui à crayons et on va se parler. Et il va s'emparer de mon esprit et il va me demander d'éliminer tous les crayons qui ne font pas partie de sa race. Tous ceux qui se trouveront sur mon chemin, je vais les passer au taille-crayons et je deviendrai une espèce de tueuse en série de crayons.

OK, OK. J'arrête d'écrire n'importe quoi.

C'est essentiel
pour la marche
en forêt
Namx♡x

Publié le 14 août à 14 h 19 par Nam
Humeur : Interloquée

> **Une découverte étonnante**

Ces derniers jours, il a fait très beau. Chaud, mais pas d'humidité, ce qui fait en sorte que lorsqu'on est à l'ombre, on se sent bien. Et je ne sais pas pourquoi, mais la plupart des moustiques et mouches noires carnivores sont disparus. C'est donc vraiment agréable.

Mais bon, je suis ultra supra méga troublée.

Avec Youki, j'ai décidé d'explorer la forêt. Branchée sur mon lecteur MP3, j'adore marcher. J'ai décidé de me diriger de l'autre côté du lac. Je ne sais pas ça fait combien de kilomètres, mais ça m'a pris genre une heure pour me rendre. Un endroit que j'ai souvent regardé avec des jumelles, sur le bout du quai. Ça faisait drôle d'observer notre chalet de si loin. J'ai regardé Grand-Papi couper du bois et s'amuser avec le renardeau. J'ai crié pour qu'il se retourne vers moi, mais il n'a rien entendu.

Je me suis enfoncée dans la forêt, question de continuer l'exploration. Puis, à un moment donné, je suis tombée sur un chalet qui ressemblait un peu au nôtre, sauf que la porte d'entrée était rouge (la nôtre est brune, je pense).

J'étais surprise de découvrir qu'il y avait une autre habitation dans le coin. Il me semblait avoir entendu

Grand-Papi dire qu'on était la seule maison dans un rayon de dix kilomètres.

Le chalet semblait habité parce que le couvercle du barbecue était levé et il y avait un sac dans une poubelle de métal. (Je ferais une excellente détective, non ?) Mais pas de voiture à l'horizon.

J'ai décidé d'aller jeter un œil au travers des fenêtres. Un tout petit. Sur la pointe des pieds (parce qu'il y avait des chances que le sol craque et que je sois découverte), je me suis avancée vers les fenêtres. Ma tête était comme une girouette, je n'arrêtais pas de regarder de gauche à droite.

L'intérieur était normal. Pas d'armes de destruction massive ou de mascottes en pleine séance de yoga. Juste de la vaisselle sale dans l'évier, une table de cuisine encombrée de journaux et de nombreux vêtements suspendus sur une corde.

J'ai mis la main sur la poignée de la porte. Je l'ai tournée. Elle n'était pas verrouillée !

C'est à ce moment que je me suis dit que ce serait une excellente idée d'entrer. Je n'ai pas pensé un seul instant que ce n'était pas chez moi et que je n'avais pas le droit de faire ça. Non, y'a juste ma curiosité qui comptait. Qu'est-ce qui pouvait mal tourner ? Pendant un quart de seconde, je me suis dit qu'ici vivait peut-être un cannibale. Et que s'il me surprenait, j'allais finir cette magnifique journée dans une casserole en compagnie de patates et de carottes.

Comme pour me rassurer, quand j'ai ouvert la porte,

un bruit de grincement *full* épeurant s'est fait entendre. Ça a fait bondir Youki, qui est allé se réfugier derrière moi. Je lui ai dit d'arrêter d'agir comme une moumoune alors que dans le fond, c'est moi qui aurais voulu me cacher derrière lui. Mais j'ai quand même de la fierté.

J'avais vraiment peur. Mais en même temps, c'était excitant. J'ai avancé la tête jusque dans la maison et j'ai dit :

- Allô ? Il y a quelqu'un ?

Pas de réponse. Je n'ai jamais envisagé que j'allais recevoir une réponse. Et si quelqu'un avait été là? J'aurais dit quoi ? Je vends des calendriers ?

Enfin, je suis entrée. Chaque pas accélérait les battements de mon cœur (une chance que le chalet était petit, sinon je serais morte d'un infarctus). Youki a été plus intelligent, il est resté dehors.

Je suis gentille quand même, j'ai enlevé mes gougounes avant d'entrer pour ne pas salir le plancher (soit dit en passant, c'est moi qui ai eu l'excellente idée de porter ça pour faire de la marche en forêt, merci, pas besoin de souligner ma grande intelligence).

Après avoir fait quelques pas, j'ai réalisé que dans le fond, le chalet était tellement petit qu'il n'y avait rien d'autre à voir que ce que j'avais vu au travers des fenêtres quand j'étais à l'extérieur. C'est à ce moment que je me suis retournée et j'ai vu...

Shitttttt! Je dois m'en aller. On se reprend plus tard.

Publié le 14 août à 14 h 57 par Nam
Humeur : Toujours interloquée

> Une découverte étonnante, *part II*

Bon, il fallait que la proprio du café Internet aille à la banque. Elle nous a donc demandé de sortir quinze minutes. D'ailleurs, je pense qu'elle est un peu tannée de nous voir. On a l'air de deux junkies de l'Internet. Ça a permis au moins à Grand-Papi de griller une cigarette. Il n'a pas voulu me parler de son « amoureuse », mais je voyais dans ses yeux qu'il était heureux.

Bon, retournons à nos moutons. J'allais sortir du chalet lorsque mon regard s'est posé sur les vêtements qui séchaient sur la corde. Mon cœur s'est arrêté de battre pendant au moins une minute. Il y avait un t-shirt blanc avec un poisson rouge dessus. EXACTEMENT le même que j'ai choisi pour Zac et moi. I-DEN-TI-QUE. Je suis restée figée comme une nouille devant le t-shirt jusqu'à ce que j'entende Youki japper. Ça m'a sortie de ma torpeur. J'ai regardé à la fenêtre : une auto approchait ! J'ai couru vers la sortie comme si je venais de découvrir une bombe qui allait sauter dans cinq secondes.

J'ai sauté dans mes *gougounes*, j'ai refermé la porte derrière moi et j'ai couru comme une malade dans la forêt... à au moins deux kilomètres à l'heure ! Pour être sûre de ne pas être découverte, j'ai commencé à crier comme une folle. Je me suis arrêtée jusqu'à ce que j'entende des jappements… et pas ceux de Youki ! Un chien était à ma poursuite !

J'ai continué à courir et me suis arrêtée lorsque j'ai été sûre que le chien ne pouvait plus me mordre une fesse.

En entrant dans le chalet, je suis allée dans ma chambre pour réfléchir. Grand-Papi a vu que j'étais troublée, il m'a demandé si j'avais vu un loup. J'ai dit : « Non, pire, un poisson rouge ».

OK, comment ça se peut? Comment quelqu'un en plein milieu de nulle part peut posséder le MÊME t-shirt ???!!! Et moi, j'entre chez cette personne sans invitation et je tombe nez à nez avec le t-shirt que j'ai fait faire. C'est juste impossible.

Je ne suis pas capable d'en revenir. Je suis *full* troublée. Faut que j'y retourne. Si j'étais plus courageuse, j'y retournerais la nuit. Mais j'ai vraiment la trouille. Je vais probablement rencontrer le seul loup-garou qui se transforme toutes les nuits, sauf celles de la pleine lune.

Ça me travaille.

Publié le 15 août à 17 h 17 par Nam
Humeur : Embrumée

> **Pas de réponses à mes questions**

Je me suis ouverte à Grand-Papi, finalement. Je lui ai dit ce qui s'était passé. (Je n'ai cependant pas mentionné que j'étais entrée dans le chalet et que j'ai crié comme une vraie folle en m'enfuyant.)

Je ne suis plus capable de fonctionner. Je n'arrête pas de penser à ce que j'ai vu. C'est une obsession. J'essaie de trouver une réponse rationnelle, mais il n'y en a pas. Quelles sont les chances pour que ça arrive ? Une sur cent mille? Une sur un million? Sur un milliard ? Ça n'a juste pas de bon sens.

J'ai passé la nuit les yeux ouverts. Dès que j'ai vu le soleil se pointer, je suis sortie avec les jumelles pour observer l'autre rive, voir si je ne pourrais pas y trouver des indices.

Au petit-déjeuner, j'en ai parlé à Grand-Papi. Il m'a dit que c'était peut-être un message que Zac m'envoyait, juste pour me dire qu'il était toujours là. Un message ? Il est mort !

Il m'a expliqué que depuis la mort de ma grand-mère, il reçoit une fois de temps en temps ce genre de signal. Au début, ça lui faisait peur, mais il a appris à vivre avec. Il m'a donné des exemples. Pour lui jouer des tours, ma grand-mère aimait ouvrir le robinet d'eau chaude quand il était sous la douche (je déteste ça quand Fred me fait ça, mais bon, je lui fais souvent, alors...). Eh bien, ça lui arrive encore à l'occasion, alors que *personne* n'utilise l'eau dans la maison. Il a expérimenté la même affaire ici, dans le chalet. Il sait alors que c'est sa femme qui lui fait un clin d'œil.

Aussi, il m'a raconté quelque chose d'un peu épeurant. Le jour du premier anniversaire de la mort de ma grand-mère, il y a eu une souper commémoratif. Paraît que j'y étais, mais j'étais trop petite, je ne m'en souviens pas.

Le soir, lorsqu'il est revenu à la maison, il a remarqué qu'il n'avait pas éteint les phares de son automobile. Il était surpris parce que, habituellement, c'est la dernière chose qu'il fait avant d'enlever la clé du contact. Il est entré dans son automobile et il a appuyé sur le bouton. Il ne s'est rien passé. Pendant genre dix minutes, il a tout essayé, mais les phares restaient allumés. Il fallait qu'il règle ce problème parce qu'il ne voulait pas que la batterie se décharge. Il est allé chercher le voisin qui est garagiste. Ensemble, ils ont essayé de régler le problème. Finalement, au bout d'une heure, ils ont réussi à éteindre les phares sans comprendre ce qui s'était passé.

Avant de s'endormir, Grand-Papi a réalisé que c'était une mauvaise habitude de ma grand-mère d'oublier d'éteindre les lumières de l'auto. Ils se disputaient chaque fois parce qu'ils devaient appeler un remorqueur. Il s'est dit que c'était un moyen pour elle de lui faire comprendre qu'elle était encore là.

Grand-Papi a peut-être raison... C'est Zac qui m'a fait coucou.

Grand-Papi m'a demandé si je voulais retourner au chalet où j'avais vu le t-shirt. J'ai dit oui et il m'a promis de m'accompagner.

Malheureusement, il n'y avait plus personne. Les fenêtres étaient recouvertes de planches de bois et le barbecue n'était plus sur le balcon. Ils ont fermé le chalet pour le reste de l'été. Ça signifie que je ne saurai peut-être jamais à qui appartenait ce t-shirt et surtout, où il l'avait trouvé. Peut-être l'année prochaine. Super... Ça va me trotter dans la tête pendant tout ce temps-là.

Publié le 16 août à 13 h 38 par Nam
Humeur : Frustrée

> **Le mystère s'épaissit**

Cette histoire de t-shirt devient de plus en plus énigmatique. Grand-Papi, en allant faire le plein, a demandé au pompiste du village (qui a genre l'âge de Grand-Papi) s'il avait déjà vu quelqu'un porter un t-shirt avec un poisson rouge dessus. J'ai donné un petit coup de coude à Grand-Papi parce que je ne voulais pas qu'il nous prenne pour des débiles. Mais le pompiste a répondu tout de suite que ça lui disait quelque chose. Il s'est retourné et a demandé à un supra vieux monsieur (au moins 124 ans !) qui passe ses journées à la station-service assis sur une chaise en bois en fumant une pipe si ça lui disait quelque chose. Le vieillard a laissé échapper de sa bouche un nuage de fumée et il a fait oui de la tête.

Bonne réponse. D'accord. Mais je voulais des détails et ils n'en donnaient pas ! Me semble que lorsqu'on pose une question comme celle-là, ça mérite plus qu'un oui ou un non ?

Grand-Papi a insisté et les seules choses qu'on a pu savoir c'était que le t-shirt était porté par un « jeune ». Ces deux messieurs sont tellement vieux que pour eux, un « jeune », c'est quelqu'un genre de 60 ans !

On n'a rien su de plus jusqu'à ce qu'on aille à l'épicerie. La caissière qui n'a pas arrêté de m'appeler

Aglaé pendant l'été était à son poste. Mais j'étais trop gênée pour lui dire qu'elle se trompait. Et Grand-Papi n'a pas aidé. Quand il voyait mon malaise, il faisait exprès de me demander super fort : « Est-ce que tu veux de la crème glacée, Aglaé ? »). La caissière, donc, qui semble savoir tout ce qui se passe au village, des rénovations de monsieur Machin-Chouette à l'accouchement difficile de madame Tambourine jusqu'aux hémorroïdes de la mairesse, a juste pu nous dire qu'elle l'avait vu avec son père. Il a les cheveux noirs, mi-longs et a toujours des gros écouteurs sur les oreilles.

- T'as quel âge, ma belle Aglaé ?

Je me suis décidée à lui dire qu'elle se trompait.

- C'est Namasté, mon nom.

Ses joues ont rougi. Je suis sûre que je l'ai blessée. Je savais que je n'aurais pas dû lui dire !

- Ton grand-père t'appelle Aglaé, elle a dit.

Grand-Papi est intervenu :

- Ouais, mais moi, je suis sénile.

Il fallait que je mette fin au malaise. J'ai dit :

- J'ai 14 ans.

La caissière est sortie de sa torpeur.

- Il avait à peu près cet âge-là.

- Et son nom, vous le connaissez?

Si elle me disait qu'il s'appelait Zac, je n'aurais pas pu me retenir de faire entrer une banane dans chacune de mes narines et d'imiter le bruit de l'otarie. Ou de pleurer. C'est moins fatigant. Ce sont donc les seules choses que je sais sur le mystérieux ado qui porte MON t-shirt. Il n'a pas le droit. Si je lui mets la main dessus, je vais lui foutre des baffes, comme Obélix quand il attrape un Romain.

On part dans deux jours, finalement. J'ai hâte et pas hâte en même temps. Ça veut dire que je vais me faire mettre des broches bientôt. Et que l'école va recommencer. Ark et re-ark. Et avec tout ça, je recommence à avoir mal au ventre. Joie !

Adieu chalet
Adieu lac
Adieu liberté
Adieu animaux empaillés
Adieu ours renifleux
Adieu longues promenades
Adieu nudisme
Namx♡x

Publié le 17 août à 13 h 42 par Nam
Humeur : Triste

> **Moins d'un jour**

On part demain matin très tôt, genre à cinq heures. Grand-Papi veut voir le lever du soleil. On vient d'aller acheter une cage de transport pour H'aïme, qui fait maintenant partie de la famille. Je ne peux juste pas imaginer que j'aurais été forcée de le laisser ici, dans une forêt pleine de dangers pour une petite boule de poils super *cute*. J'ai parlé à Mom hier et elle m'a demandé comment je me sentais de devoir laisser le renardeau. Elle avait l'air d'avoir de la peine pour moi. J'ai fait une pause et je lui ai dit qu'il s'était sauvé, avec un soupçon de fausse tristesse dans ma voix. Grand-Papi m'a fait un sourire. J'haïs mentir parce que je suis pourrie comme menteuse, je suis sûre que Mom s'est aperçu que quelque chose clochait. Au moins, si j'étais bonne... Mais non, ma voix devient plus aiguë et j'hésite. Si j'étais branchée sur un détecteur de mensonges, je ferais rire la machine tellement je suis pathétique. Genre que l'aiguille écrirait sur la feuille : *LOSER*.

Grand-Papi ne m'a pas encore donné son plan, mais j'espère qu'il est solide. Il m'a dit qu'il était « génial ».

J'ai fait mes valises et un peu de ménage dans le chalet. J'ai salué tous les animaux empaillés. Je leur ai même donné un baiser sur le front (sauf la peau d'ours qui pue et la belette méchante dans la salle de bains).

Le chalet, les arbres, le lac et le bruit des ouaouarons la nuit vont me manquer. C'est tellement différent de la vie que je mène. Me semble qu'il faut toujours courir. Il faut toujours se dépêcher. Ici, c'est le calme. À compter du moment où on se lève, on n'a rien à faire. Pas de stress. Pas de chicane. C'est la liberté.

(...)

Grand-Papi vient de me parler. On va aller dîner chez sa nouvelle « amie » demain ! Il a reçu la confirmation par courriel. Elle habite entre ici et la maison.

– C'est ta blonde ? je lui ai demandé.

- Mon amie, il a dit avec un super gros sourire.

Grand-Papi n'est pas dans son état normal. C'est trop *biz*, cette histoire.

La prochaine fois que j'écrirai sur ce blogue, je serai de retour à la maison. Et j'aurai vu qui est la supposée « amie » de Grand-Papi.

Publié le 18 août à 15 h 22 par Nam
Humeur : Un peu sur les nerfs

> Un GROS imprévu

Bon, je sais que j'ai dit que la prochaine fois que j'écrirais sur mon blogue, je serais à la maison, mais ce n'est pas le cas. Il est arrivé un imprévu qui fait en sorte que je suis présentement dans le lobby d'un hôtel, à 200 kilomètres de la maison.

On est partis comme prévu au lever du soleil. C'était vraiment beau, les rayons du soleil passaient au travers de quelques nuages, c'était orange, mauve et bleu en même temps.

Grand-Papi était *full* de bonne humeur, moi, un peu moins. Je me suis réveillée en pleine nuit parce que j'avais mal au ventre. Super, mes règles ! Il ne manquait plus que ça pour rendre la fin de mes vacances grandiose.

On s'est arrêtés pour déjeuner dans un restaurant vraiment minable. Tous les clients avaient l'air de personnages de films d'horreur. Il y en avait un qui avait un crochet à la place de la main. Un autre avait tellement de poils dans les oreilles qu'on aurait dit qu'il s'en était fait greffer. Un autre mangeait sans jamais enlever le cure-dent qu'il avait au coin de la bouche. Celui qui était à mes côtés était chauve et il n'arrêtait pas de regarder plus ou moins subtilement ma poitrine. Sur son crâne, il y avait un tatouage de je ne sais pas quoi d'ovale, un genre de météorite ou une patate. Grand-Papi s'est rendu compte que le regard de mon voisin était insistant, il m'a demandé si je voulais changer de place parce que ses seins étaient plus petits que les miens. 😎

Je me suis rendu compte que j'étais la seule fille de la place. J'ai été temporairement soulagée quand j'ai vu la serveuse arriver. Une femme de peut-être cinquante ans vraiment trop maquillée et vraiment trop bronzée. Genre sa peau ressemblait à celle d'un poulet qui a passé quatre heures dans une rôtissoire. Si elle s'était parfumée avec des épices au barbecue, ça aurait été la même chose. Genre lorsque qu'on touche à sa peau, ça croustille. 🥴

J'ai mangé en vitesse, mais pas Grand-Papi, qui a commencé une conversation avec l'un des monstres.

La bouffe était parfaitement dégueulasse. Mes rôties étaient froides et molles de gras. Mes dents rebondissaient sur les œufs et les patates, c'était des roches. On est finalement partis sains et saufs de ce palace. Je me suis endormie et quand je me suis réveillée, c'était la flotte. Il faisait supra noir, comme la nuit. Il pleuvait tellement que les essuie-glaces n'arrivaient pas à faire leur travail. Et il y avait des éclairs et du tonnerre. Grand-Papi a éteint la radio pour mieux se concentrer sur la route. On roulait à vingt kilomètres à l'heure max. On ne voyait même pas devant ou derrière.

C'est à ce moment que j'ai entendu un bruit qui m'a fait sursauter. Comme si deux morceaux de métal étaient entrés en collision. Devant moi, des lumières rouges sont apparues, puis elles ont commencé à bouger dans tous les sens. Et j'ai vu soudain une automobile se soulever dans les airs et atterrir sur le toit. Grand-Papi a freiné et a tourné son volant, mais l'auto a glissé sur l'eau et est allée frapper une autre auto sur la voie d'évitement. Alors que je pensais que c'était terminé, un camion nous a frappés à l'arrière, du côté de Grand-Papi. On a fait un tonneau.

Grand-Papi m'a demandé si j'allais bien, j'ai dit oui. Il a composé le 9-1-1 et il a dit qu'il venait d'y avoir un accident. J'ai jeté un œil à Youki, c'était comme s'il ne s'était rien passé. Mais le pauvre H'aïme n'a pas eu la même chance : sa cage était renversée ! Grand-Papi l'a observé et il n'avait rien de cassé. Il a appelé à la maison pour dire à Mom qu'on avait eu un accident, mais qu'on n'était pas blessés. Mom m'a parlé un peu. J'ai tout fait pour retenir mes larmes.

On a attendu une minute ou deux, pour être sûrs qu'aucun autre véhicule n'allait nous percuter, puis on est sortis.

Il y avait sept automobiles déglinguées, mais personne de blessé. Le premier policier arrivé sur les lieux a parlé d'un miracle.

Je suis allée dans la voiture, pour me réchauffer. J'étais vraiment trempée. Puis en réalisant ce qui venait de se passer, j'ai serré Youki très fort dans mes bras et j'ai commencé à pleurer. Grand-Papi est entré dans l'auto pour prendre des papiers dans le coffre à gants. Il m'a consolée et m'a dit que tout allait bien se passer.

Je n'arrêtais pas de penser à Zac et à l'accident. Je me suis demandé s'il avait souffert ou s'il était mort sur le coup. J'espère qu'il n'a pas souffert.

On a vidé l'auto et on a tout transféré dans la remorqueuse. Le monsieur, en voyant notre véhicule, s'est demandé comment il se faisait que nous soyons encore vivants.

On va donc dormir dans un hôtel ce soir. L'automobile de Grand-Papi est une perte totale, il va devoir s'en acheter une autre. D'ici là, il va en louer une pour retourner à la maison.

Je pensais que Grand-Papi allait être un peu malheureux, il aimait tellement son « char ». Il m'a dit que ce n'était que de la tôle et que l'important est que je ne sois pas blessée.

La bonne nouvelle dans tout ça est que je ne pourrai pas aller à mon rendez-vous chez le dentiste pour me faire poser des broches. Yé ! Avec de la chance, tout le monde va oublier que je devais en porter et je vais pouvoir m'en passer.

Je vais aller souper, même si je n'ai pas faim. Et en plus, je dois partir à la recherche de serviettes sanitaires parce que je n'en ai plus. Super.

Je pourrais
avoir le mode
d'emploi s.v.p.?
Namxox

Publié le 18 août à 20 h 51 par Nam
Humeur : Fière

> Problème de femme (résolu!)

Ouain ! Pas facile de trouver des serviettes sanitaires dans un hôtel en plein milieu d'un trou perdu ! En fait, je n'en ai pas trouvé. J'ai fait le tour des salles de bains et y'avait même pas de machine distributrice. Et je ne voulais pas parler de ça à Grand-Papi. Ça me gênait trop.

Je devais vraiment changer de serviette, mais il ne m'en restait plus. Le temps que j'en trouve une, j'ai mis une tonne de papier de toilette dans le fond de ma culotte, genre l'équivalent de trois arbres. Et puis telle une aventurière sans peur, je suis partie à la recherche de l'objet tant convoité.

J'ai vu sur le tableau accroché à l'entrée une affiche qui affirmait qu'à la réception, on pouvait nous « dépanner » si on avait oublié un objet dans nos « soins personnels ». Le problème : c'était un homme qui était à la réception. Pas question que j'aille lui demander ça à lui! Des fois, je me dis que je suis trop orgueilleuse... Tsé, j'ai attendu une heure avant que la femme que j'avais vue auparavant revienne à son poste! Elle était partie souper. Je me suis avancée (OK, j'ai sauté dessus, sentant que le papier de toilette se désintégrait dans ma culotte) et je lui ai demandé si elle pouvait m'aider dans mes « soins personnels ».

- Problème de femme ? elle m'a demandé en me faisant un gros clin d'œil.

« Problème de femme » ? Quelle affreuse expression ! Comme les filles qui disent qu'elles sont « malades » quand elles ont leurs règles. Je n'ai jamais compris ça. Bon, la femme qui était au comptoir était vieille, genre 50-55 ans. À son époque, avoir ses règles, c'était être « impure » et être « sale ». Je me suis résignée :

- Ouais, problème de femme.

Elle a levé l'index et elle est disparue dans le bureau à l'arrière. Puis, elle est réapparue avec un sac en plastique blanc, comme celui qu'on nous donne à l'épicerie.

- Désolée, elle a dit, il n'en restait plus. Avec ça, tu vas pouvoir te débrouiller.

Devant mon air interloqué, elle s'est mise le sac sur la tête et avec les deux poignées, a fait un nœud sous son menton.

- Faudra que t'apprennes à te débrouiller dans la vie, ma petite fille. Je sais que c'est pas sexy, mais c'est parfait pour protéger tes cheveux sous la douche. Eh puis, ce n'est pas comme si t'avais un public.

Comment lui dire sans l'insulter que c'est de serviettes sanitaires dont j'ai besoin et pas ce qu'elle s'est mise sur la tête ?

- Euh, j'ai un autre « problème de femme » ?

Elle m'a fixée intensément, genre trop longtemps. Je crois qu'elle a réalisé qu'elle avait l'air ridicule. Puis elle est disparue dans la pièce derrière le comptoir. Elle est revenue avec des trucs longs et minces enveloppés dans du papier (mais sans son sac sur la tête). Des tampons ! Je n'avais jamais mis ça !

- OK, euh, merci. Mais vous n'auriez pas des serviettes à la place ?

- Non.

- OK, ça va. C'est combien ?

- Un dollar chacun.

J'ai tapoté mon jeans. *Shiiiiiiiiit!* J'avais oublié mon portefeuille dans la chambre. Je lui ai dit que j'allais revenir dans une minute. J'ai couru dans le corridor, j'ai déverrouillé la porte puis j'ai pris mon portefeuille. J'ai vu du coin de l'œil que le renardeau allait s'enfuir. Noooon ! Je l'ai rattrapé de justesse par le bout de la queue. Quand je suis revenue à la réception, c'était l'homme qui était derrière le comptoir. *Re-shiiiiiiiit!* Il a vu que j'étais déçue. Je me suis assise sur une des chaises et j'ai décidé d'attendre.

- C'est pour toi les tampons ?

Il aurait pu poser sa question plus fort !

- Oui.

- Combien t'en as besoin ?

Je n'ai pas fait de calcul dans ma tête. J'ai dit :

- Cinq.

Il en a compté cinq (il s'est repris trois fois !) et les a posés sur le comptoir. J'ai levé les yeux et j'ai vu la tête de la femme dépasser du chambranle de la porte. Lorsqu'elle a croisé mon regard, elle a disparu aussitôt.

J'ai payé. Puis il m'a dit :

- Ne les utilise pas tous en même temps.

Ha. Ha. Ha. *Full* drôle.

Je me suis réfugiée dans la salle de bains de la chambre d'hôtel. Et ç'a été l'apprentissage. Je ne suis pas niaiseuse, je sais que ça ne va pas dans les oreilles. C'est juste que c'est plus compliqué que de coller une serviette dans le fond de sa culotte. Et j'ai appris à l'école qu'il faut faire attention à un truc qui s'appelle le « choc toxique », ne pas le garder plus longtemps que dix heures parce que ça pourrait nous rendre malade.

Genre que ça m'a pris une demi-heure pour être capable de le mettre ! J'avais l'air d'une folle. Ça prend de la technique. Mais j'étais supra satisfaite quand j'ai réussi ! Je me promenais dans les corridors de l'hôtel la tête haute. J'avais le goût, comme dans les comédies musicales, de chanter une chanson qui démontrerait ma joie. Genre :

«Oh tampon !

J'ai réussi à te mettre pour de bon,

Même si c'était la première fois,

Que je me battais avec toi ».

Assez de niaiseries. Je suis crevée. Allez, dodo.

Publié le 19 août à 10 h 12 par Nam
Humeur : Fatiguée

> **C'est un deuxième départ**

Je n'ai pas trop bien dormi. J'ai repassé dans ma tête l'accident qu'on a eu. Et là, je me suis demandé ce qui ce serait passé si ça avait été plus grave. Si j'avais été blessée. Si Grand-Papi avait été blessé. Et immanquablement, Zac est revenu dans ma tête.

J'ai aussi fait des rêves trop *biz*. C'est vague, mais je me rappelle qu'il y avait la femme au comptoir avec un tampon géant. Elle me pourchassait pour que j'entre dans sa secte de gens qui se promènent avec des tampons dans les oreilles. Au moment où elle m'a attrapée, y'a Tintin, avec une paire de mes vieilles culottes sur la tête, qui m'a sauvée. En tout cas.

Je vais peut-être devoir partir d'un instant à l'autre parce qu'on attend l'auto que Grand-Papi a louée pour retourner à la maison. On doit venir nous la porter.

On va toujours dîner chez la fameuse « amie » de Grand-Papi. Il m'a fait un peu peur ce matin. Il m'a dit de m'attendre à être surprise quand je vais la rencontrer.

- Quelle genre de surprise ? je lui ai demandé.

- Tu vas voir.

C'était une menace ? OK, je dois m'attendre à tout

avec lui. C'est une femme en fauteuil roulant ? Une sorcière ? Une naine ? Une femme à barbe ? Elle marche sur les mains ? Elle n'a pas de nez ?

J'ai trop d'imagination. C'est devenu une maladie.

L'auto vient d'arriver.

J'étais
complètement
dans le champ
Namx♡x

Publié le 19 août à 14 h 52 par Nam
Humeur : Bouche-bée

> Je me suis trompée sur toute la ligne

Je suis chez la supposée amie de Grand-Papi, présentement. Dans son bureau, calée dans un fauteuil moelleux qui, on dirait, va m'avaler. C'est elle qui m'a demandé si je voulais aller sur son ordi. Vraiment *cool!*

Et ce ne sont pas des « amis ». Ils se sont donné un baiser sur la bouche quand ils se sont vus. Tsé... C'est pas ça, des amis.

OK, j'ai dit que j'avais de l'imagination, mais pas assez pour deviner pourquoi Grand-Papi me disait que son amie était « spéciale ». Et pour être « spéciale », elle l'est!

Cette femme est spéciale
tout simplement parce que…

C'est l'heure du dessert.
Je me reconnecte plus tard !

À suivre dans le tome 3 :

Le blogue de Namasté
Le mystère du t-shirt

Phobies-Zéro Jeunesse

Maxime Roussy est porte-parole de **PHOBIES-ZÉRO volet jeunesse**. Il s'est donné comme mission, entre autres, de démystifier les troubles d'anxiété chez les jeunes en leur racontant avec humour ses expériences liées à son trouble panique avec agoraphobie.

Tu n'es pas seul. Plusieurs personnes se sentent comme toi. La bonne nouvelle c'est que nous pouvons t'aider!

Pour savoir par où commencer, visite le

www.phobies-zero.qc.ca/voletjeunesse

ou communique avec nous au :

(514) 276-3105 / 1 866 922-0002

Du même auteur

Le blogue de Namasté - tome 5
La décision
Éditions La Semaine, 2010

Le blogue de Namasté - tome 4
Le secret de Kim
Édition La Semaine, 2009

Le blogue de Namasté - tome 3
Le mystère du t-shirt
Rééditions La Semaine, 2010

Le blogue de Namasté - tome 2
Comme deux poissons dans l'eau
Rééditions La Semaine, 2010

Le blogue de Namasté - tome 1
La naissance de la Réglisse rouge
Rééditions La Semaine, 2010

Pakkal XI
La colère de Boox
Éditions La Semaine, 2009

Pakkal X
Le mariage de la princesse Laya
Éditions Marée Haute, 2008

Pakkal IX
Il faut sauver L'Arbre cosmique
Éditions Marée Haute, 2008

Pakkal
Le deuxième codex de Pakkal
Éditions Marée Haute, 2008

Pakkal VIII
Le soleil bleu
Les Éditions des Intouchables, 2007

Circus Galacticus
Al3xi4 et la planète de cuivre
Éditions Marée Haute, 2007

Pakkal VII
Le secret de Tuzumab
Les Éditions des Intouchables, 2007

Pakkal VI
Les guerriers célestes
Les Éditions des Intouchables, 2006

Pakkal V
La revanche de Xibalbà
Les Éditions des Intouchables, 2006

Pakkal IV
Le village des ombres
Les Éditions des Intouchables, 2006

Pakkal
Le codex de Pakkal, hors série
Les Éditions des Intouchables, 2006

Pakkal III
La cité assiégée
Les Éditions des Intouchables, 2005

Pakkal II
À la recherche de l'Arbre cosmique
Les Éditions des Intouchables, 2005

Pakkal I
Les larmes de Zipacnà
Les Éditions des Intouchables, 2005